D1639309

LES DÉLICES DE TOKYO

Né à Tokyo en 1962, Durian Sukegawa est poète, écrivain et clown, diplômé de philosophie et de l'École de pâtisserie du Japon. Après une carrière de scénariste, il fonde en 1990 la Société des poètes qui hurlent, dont les performances alliant lecture de poèmes et musique punk défraient la chronique. De 1995 à 2000, il anime sur les ondes d'une radio nationale une émission nocturne plébiscitée par les collégiens et les lycéens. Il est l'auteur de nombreux romans et essais. *Les Délices de Tokyo* est son premier texte traduit en français.

DURIAN SUKEGAWA

Les Délices de Tokyo

ROMAN TRADUIT DU JAPONAIS
PAR MYRIAM DARTOIS-AKO

ALBIN MICHEL

Titre original :

AN

Publié par Poplar Publishing Co., LTD.,
au Japon, en 2013 et 2015.
Publié en français avec l'accord de Poplar Publishing Co., LTD.,
représenté par Japan Uni Agency, Inc., Tokyo
et Vicki Satlow Literary Agency Società Cooperativa.

ISBN : 978-2-253-07087-0 – 1re publication LGF

1

Doraharu, marchand de *dorayaki*.

Sentarô passait ses journées debout derrière la plaque chauffante.

Sa boutique était située en retrait de la route longeant la voie ferrée, dans la rue commerçante baptisée Sakuradôri, « rue des Cerisiers ». La rue se distinguait pourtant plus par le nombre de commerces fermés que par ses cerisiers plantés çà et là. Malgré tout, en cette saison, il semblait y avoir un peu plus de passants que d'habitude, peut-être attirés par les fleurs.

Sentarô remarqua une vieille femme immobile au bord du trottoir sans y attacher d'importance. Il se concentra sur le saladier dans lequel il mélangeait la pâte. Devant la boutique se dressait un cerisier en pleine floraison, pareil à une masse bouillonnante de petits nuages. Sentarô était persuadé que c'était ce qu'elle contemplait.

Néanmoins lorsqu'il releva la tête un peu plus tard, la dame au chapeau blanc n'avait pas bougé. Et ce n'était pas le cerisier qu'elle regardait, mais lui. Il la salua machinalement. Alors, un sourire légèrement emprunté aux lèvres, elle s'approcha à petits pas.

Sentarô se souvenait d'elle. C'était une cliente qui était déjà venue quelques jours plus tôt.

« Ça, là. »

Lentement, elle tendit le doigt vers l'affichette collée à la vitre. Son doigt était recourbé comme un crochet.

« Il n'y a vraiment pas de limite d'âge ? »

Sentarô suspendit le geste de sa spatule en caoutchouc.

« Vous avez quelqu'un en tête, l'un de vos petits-enfants, peut-être ? »

Sans répondre, la vieille femme cligna de l'œil.

Le vent souffla. Le cerisier frémit. Des pétales entrés par la vitre entrouverte se déposèrent sur la plaque chauffante.

« Eh bien… »

La femme tendit le cou vers lui.

« Vous ne voudriez pas de moi ?

— Hein ? » laissa échapper Sentarô.

Elle se désigna du doigt.

« J'ai toujours rêvé de faire ce travail. »

Sentarô rit, sans même avoir le temps de se demander si c'était malpoli.

« Quel âge avez-vous ?

— Soixante-seize ans bien sonnés. »

Comment l'éconduire sans la blesser ? Sentarô cherchait ses mots en agitant sa spatule.

« Euh… on ne paie pas très bien. Par les temps qui courent, six cents yens de l'heure, vous imaginez.

— Hein ? Qu'est-ce que vous dites ? »

La femme portait la main à son oreille.

Sentarô se pencha vers elle. C'était la position qu'il adoptait pour tendre les *dorayaki* aux enfants et aux personnes âgées.

« Chez nous, le salaire n'est pas très élevé. On a besoin de quelqu'un, mais pour une personne de votre âge…

— Ah, ça. »

Son doigt crochu suivait la ligne inscrite sur l'affichette.

« Pour le salaire, la moitié fera l'affaire. Trois cents yens.

— Trois cents yens ?

— Oui. »

Sous son chapeau, ses yeux souriaient.

« Oui, mais… Non, je crois que ce n'est pas possible. Pardon. Désolé, vraiment.

— Je m'appelle Tokue Yoshii.

— Quoi ? »

Peut-être la vieille femme était-elle un peu sourde. Elle semblait s'être méprise sur le sens de sa réponse. Sentarô croisa les mains sur sa poitrine pour lui signifier son refus.

« Je suis désolé.

— Ah bon, vraiment ? »

Toujours immobile, Tokue Yoshii scrutait Sentarô. Son œil droit et son œil gauche n'avaient pas tout à fait la même forme.

« C'est un travail très physique, vous comprenez… »

Elle ouvrit la bouche comme pour prendre une goulée d'air, puis elle montra soudain du doigt un point derrière elle.

« Ce cerisier, qui l'a planté ?

— Hein ? »

Le visage tourné vers l'arbre, Tokue répéta : « Ce cerisier, là. »

Sentarô leva les yeux vers les fleurs épanouies.

« Comment ça, qui l'a planté ?

— Il a bien fallu que quelqu'un le plante, non ?

— Désolé, je n'ai pas grandi ici. »

Tokue semblait vouloir ajouter quelque chose, mais lorsqu'elle vit que Sentarô avait repris sa spatule, elle s'éloigna en lui lançant : « Je reviendrai. »

Elle se mit en route dans la direction opposée à la gare. Sa démarche était gauche, comme si ses articulations étaient raides. Sentarô cessa de la suivre du regard pour se remettre à mélanger la pâte à pancakes.

2

Chez Doraharu, il n'y avait pas de jour de fermeture. Chaque jour, vers onze heures, le rideau de fer était levé.

C'était généralement deux heures plus tôt que Sentarô enfilait son tablier. Il commençait les préparatifs à une heure très tardive. En principe, à ce rythme-là, il n'aurait pas pu s'en sortir tout seul. Mais chez Doraharu, on procédait d'une manière particulière.

Par exemple, après avoir bu du café en canette pour se réveiller, comme chaque matin Sentarô poussa du pied le carton qui lui avait été livré jusque dans la cuisine. Il en sortit le seau en plastique de *an*, une pâte de haricots confits avec des morceaux, qu'il mélangea au reste de la veille.

Ce n'était pas illégal, mais jamais une pâtisserie digne de ce nom ne se serait abaissée à ça. Congelé, le *an* se conservait bien. Sur quelques jours, il ne perdait guère ni en saveur ni en qualité. Ici, on savait en profiter.

Chez Doraharu, du temps du patron précédent déjà, il était de règle d'utiliser de la pâte de haricots industrielle. Le fournisseur attitré de la boutique en livrait des seaux de cinq kilos, de fabrication chinoise.

Sans péricliter ni attirer les foules, Doraharu vivotait. Le seau n'était jamais écoulé dans la journée, certainement pas. Il en restait toujours. Le *an* conservé au congélateur était ainsi panaché au reste, le lendemain ou le surlendemain, voire le jour suivant.

Après avoir mélangé la vieille pâte de haricots à la nouvelle, Sentarô s'attelait à la confection de la pâte à pancakes. Certains fournisseurs en livraient aussi, mais comme cela revenait cher, il la préparait lui-même.

Il versait les ingrédients dans un saladier, les mélangeait et mettait la plaque à chauffer. Avec une louche, il y versait des ronds de pâte qu'il alignait ensuite, une fois cuits, dans la vitrine chauffante, où ils attendaient de devenir des *dorayaki* : deux ronds de pâte, comme des petits pancakes, fourrés de *an* aux haricots rouges. En général, c'était alors l'heure d'ouvrir la boutique. Sentarô poussait un soupir et relevait le rideau de fer depuis l'intérieur. Il ne se mettait pas en condition pour autant, pas plus qu'il ne changeait d'expression.

C'était l'après-midi. Sentarô, assis sur une chaise dans la cuisine, déjeunait d'un plateau-repas acheté à la supérette. Un chapeau blanc apparut de l'autre côté de la vitre.

« Encore elle… »

Comme elle lui souriait, Sentarô fut bien obligé de se lever.

« Euh, madame Yoshii, c'est ça ? »

Sous le chapeau blanc, le visage tout ridé répondit : « Oui.

— Que voulez-vous ? »

Tokue Yoshii tira de son sac à main une feuille sur laquelle étaient tracés des caractères à l'encre bleue. C'était une écriture particulière. Dansante, comme si chaque trait caracolait.

« Mon nom s'écrit comme ça, en caractères chinois.

— Bien, d'accord… »

Sentarô jeta un bref coup d'œil à la feuille avant de la lui rendre. « Désolé, mais pour le poste, c'est impossible. » Tokue fit mine de reprendre la feuille de ses doigts déformés, puis elle retira doucement sa main.

« Comme vous pouvez le constater… j'ai un petit problème aux doigts. Alors, c'est d'accord pour moins. Deux cents yens, ça ira.

— De quoi parlez-vous ?

— Du salaire horaire.

— Mais là n'est pas la question. Je ne peux pas vous embaucher », répéta Sentarô.

Comme la fois précédente, Tokue se contenta de le regarder fixement. Sentarô recula d'un pas et tendit la main vers les *dorayaki* alignés en vitrine. Il allait lui en offrir un pour la faire partir.

Et comme si elle avait deviné, elle lui demanda soudain :

« Les haricots confits, c'est vous qui les préparez, jeune homme ?

— Euh… C'est-à-dire que c'est un secret de fabrication. »

Malgré sa repartie, Sentarô devait avoir la pomme d'Adam qui faisait du yoyo. Il se retourna, inquiet.

Sur le plan de travail, près du bento de la supérette, trônait le seau de pâte de haricots. Avec le couvercle ouvert, en plus, et une cuillère encore plantée dedans. Sentarô fit un pas de côté pour soustraire ce spectacle aux yeux de Tokue.

« L'autre jour, j'ai mangé un *dorayaki* d'ici, la pâte à pancakes n'était pas mauvaise. Mais la pâte de haricots, bof.

— La pâte ?

— Oui. C'était une pâte sans âme.

— Sans âme ? C'est bizarre. »

Bien que sachant pertinemment que sa pâte ne risquait pas d'avoir une âme, Sentarô afficha son étonnement.

« Comment dire, elle était insipide.

— C'est difficile à faire, la pâte de haricots. Vous en avez déjà préparé, grand-m…, hum…, madame Yoshii ?

— Je n'ai pas arrêté. Pendant cinquante ans. »

Sentarô faillit lâcher le *dorayaki* qu'il s'apprêtait à glisser dans un sachet en papier.

« Cinquante ans ?

— Oui, un demi-siècle. Avec le *an*, tout est dans l'émotion, vous savez.

Alors qu'il tendait le sachet à Tokue, la surprise cueillit Sentarô comme une rafale de vent soudaine.

— C'est cela, oui… L'émotion. »

« Mais… pardon. Je ne peux vraiment pas vous prendre.

— Vraiment ?

— Je suis désolé. »

Tokue le regarda de nouveau fixement de ses yeux à la forme irrégulière, puis, au bout d'un moment, elle sortit de son sac un portefeuille en tissu.

« Ce n'est pas la peine.

— Pourquoi ? »

Elle aligna des pièces de monnaie sur le minuscule comptoir devant la vitre coulissante. Tous ses doigts étaient un peu tordus. Son pouce était recroquevillé vers la paume de sa main.

« Cent quarante yens, c'est bien ça ? »

Comme elle attrapait les pièces du bout de ses doigts handicapés, il lui fallut du temps avant d'en rassembler une de cent yens et quatre de dix yens.

« Écoutez, jeune homme…

— Quoi ?

— Goûtez-moi ça pour voir. »

Elle sortit quelque chose de son sac, une boîte ronde et hermétique. À travers le plastique, Sentarô distingua une masse sombre.

« Qu'est-ce que c'est ? »

Pendant qu'il prenait la boîte, Tokue s'était éloignée de la devanture.

« C'est quoi ? De la pâte de haricots ? »

Tokue, qui s'était déjà remise en marche, acquiesça d'un mouvement de tête par-dessus son épaule et disparut au coin de la rue.

3

Ce soir-là, Sentarô alla prendre un verre au restaurant de *soba* devant la gare.

Il accompagna son saké tiède de tempura, puis avala un bol de *soba*, des nouilles de sarrasin. Il but encore en mangeant. Il repensait aux événements de l'après-midi.

Après le départ de Tokue, il avait jeté la boîte hermétique à la poubelle, telle quelle. Non sans scrupules, mais il n'avait pas envie d'y goûter. Néanmoins, chaque fois qu'il soulevait le couvercle de la poubelle, la boîte lui faisait de l'œil. Au bout d'un moment, il l'avait repêchée. S'il y goûtait ne serait-ce qu'une lichette, il aurait fait son devoir, lui semblait-il. Mais cette bouchée lui avait fait froncer les sourcils.

La pâte de haricots de Tokue n'avait rien à voir avec celle du seau en plastique. Son parfum et son goût étaient riches, amples.

« Cinquante ans… »

En repensant à cette saveur qui, contre toute attente, l'avait laissé interdit, Sentarô porta la coupe de saké à ses lèvres.

« Je n'étais même pas né. »

Il tourna les yeux vers les affichettes portant le nom des plats collées au mur. Elles étaient calligraphiées par le propriétaire du restaurant de nouilles. Comme à chaque fois qu'il regardait ces caractères tracés au pinceau, Sentarô pensa à sa mère.

« Cette grand-mère… elle doit avoir le même âge que ma mère. »

Le dos frêle et voûté de sa mère traçant adroitement une lettre au pinceau, la feuille de papier à lettres étalée sur la table basse, lui revint en mémoire.

En temps normal, Sentarô interrompait là sa rêverie. Il s'appliquait à ne penser ni à sa mère morte depuis longtemps, ni à son père perdu de vue depuis dix ans.

Mais ce soir-là, il en fut incapable. L'image de sa mère, qui l'avait initié à la calligraphie quand il était enfant, lui revenait sans cesse.

« C'est pas vrai… »

Il poussa un soupir alcoolisé.

L'avenir était vraiment indéchiffrable.

Il songeait au chemin qu'il avait fini par suivre, alors qu'il voulait devenir écrivain. Lorsqu'il était sorti de prison, sa mère n'était plus de ce monde. Il n'aurait jamais imaginé avoir le quotidien qu'était le sien ces dernières années : passer son temps debout derrière une plaque chauffante à faire cuire des *dorayaki*.

Sentarô remplit sa coupe de saké sec. Il la vida d'une traite, comme pour balayer l'amertume sur sa langue.

Sa mère, telle que dans ses souvenirs.

Elle pouvait avoir des paroles douces, sans pour autant dissimuler ses sautes d'humeur. Parfois, elle se prenait violemment le bec avec le père de Sentarô, ou elle pleurait et criait après une dispute avec un proche. Sentarô, enfant, était effrayé par ces sautes d'humeur. Du coup, quand sa mère qui aimait les sucreries était gaiement attablée devant un *manjû*, ces petits gâteaux cuits à la vapeur, ou devant une pâtisserie, Sentarô aussi se sentait serein. Il aurait voulu que ce gâteau reste toujours sur la table. Il aimait sa mère quand elle lui disait dans un sourire « C'est bon, hein, Sen. »

La divine pâte de haricots de Tokue Yoshii. Si sa mère, encore de ce monde, y avait goûté, quelle aurait été sa réaction ? Qu'aurait-elle dit ?

Elle aurait approuvé, c'est sûr…

Ça pourrait faire des heureux, pensa Sentarô.

Et puis :

« Deux cents yens de l'heure… »

Était-ce bien vrai ?

Si elle se contentait de ça… je pourrais lui demander un coup de main.

Il examina cette possibilité.

S'il avait affiché une offre d'emploi en devanture, ce n'était pas parce qu'il avait trop de travail. C'était parce qu'il avait beau adresser la parole aux *dorayaki*, ils ne lui répondaient pas. Bref, Sentarô cherchait une présence.

La grand-mère travaillerait-elle vraiment pour deux cents yens de l'heure ?

Il fit ses comptes, le cerveau embrumé par l'alcool. Cela revenait presque à la faire travailler à l'œil. Et pour quelle pâte de haricots ! Il améliorerait peut-être son chiffre d'affaires. Dans ce cas, il pourrait augmenter ses remboursements mensuels. Anticiper le jour de sa libération.

Mais… Sentarô immobilisa sa main qui tenait la coupe de saké.

Il revoyait les doigts déformés de Tokue, qui l'intriguaient. Si les clients s'en apercevaient, ça les refroidirait sûrement.

Il eut alors un éclair de génie.

Dans ce cas, il suffisait de la charger uniquement de la pâte de haricots.

Oui. Sentarô hocha la tête.

Il lui ferait confectionner la pâte, et c'est tout. Entre-temps, il pourrait peut-être lui piquer son savoir-faire. Vu son âge, de toute façon, elle s'épuiserait à la tâche.

« Suffit de pas la montrer à la clientèle », laissa-t-il échapper dans un murmure.

Le patron, qui discutait avec des clients à une autre table, se retourna. Il braqua sur Sentarô un regard interloqué. Celui-ci haussa les épaules et leva son flacon, « Du saké, s'il vous plaît ! ».

4

Quelques jours plus tard.

Lorsque Sentarô leva les yeux de la plaque chauffante, la vieille femme au chapeau blanc se tenait de nouveau sous le cerisier. Elle regardait dans sa direction, un sourire aux lèvres.

« Bonjour ! »

C'est Sentarô qui lui adressa la parole en premier. Sous son chapeau, Tokue sourit en découvrant ses dents. Elle approcha de sa démarche gauche, en tanguant.

« Le cerisier a perdu toutes ses fleurs.

— C'est vrai. »

Sentarô aussi leva les yeux vers l'arbre.

« C'est pour qu'on puisse bien admirer les feuilles.

— Admirer les feuilles ?

— C'est le moment où elles sont les plus belles. Regardez, par là. »

Sentarô chercha des yeux l'endroit indiqué par Tokue. Vers la cime de l'arbre, de jeunes pousses charnues frémissaient au vent.

« Elles nous font signe de la main. »

Maintenant qu'elle le disait, on pouvait voir les choses sous cet angle, pensa-t-il. Les feuilles superposées se balançaient, pareilles à une guirlande de mains d'enfants. Sentarô acquiesça d'un hochement de tête et se tourna de nouveau vers Tokue.

« Madame Yoshii.

— Oui.

— La pâte de haricots que vous m'avez apportée était bonne.

— Ah, vous l'avez mangée.

— Alors, si vous êtes d'accord, pourriez-vous venir m'aider ?

— Comment ? »

Tokue tendit le cou.

« Voulez-vous bien venir préparer votre pâte de haricots ici ?

— Je vois. Vous êtes sûr ? »

La bouche entrouverte, Tokue scrutait Sentarô.

« Simplement, vous vous occuperez uniquement de confectionner les haricots confits. Vous ne servirez pas la clientèle.

— Ah bon ? »

Un silence se fit, car Tokue le regardait fixement, mais, d'un geste de la main, Sentarô l'invita à s'installer au comptoir. Elle prit un siège et ôta son chapeau, découvrant ses cheveux blancs clairsemés.

« Vous pourrez porter les récipients ? C'est assez lourd, vous savez. La préparation de la pâte de haricots, ça requiert de la force physique.

— Les récipients, c'est vous qui les porterez, jeune homme. »

Hum, pourquoi pas.

Sentarô, éludant la remarque, regarda les mains de Tokue. Elles étaient croisées, les doigts habilement disposés de façon à masquer leur difformité.

« Vous pouvez tenir une cuillère en bois, ça va ?

— Oui.

— Qu'est-il arrivé à vos mains, si ce n'est pas indiscret ?

— Ah, ça... »

Ses mains croisées s'étaient crispées. Du moins, Sentarô en eut l'impression.

« J'ai été malade dans ma jeunesse, ce sont les séquelles de la maladie. Cela ne posera pas de problème, je pense, mais c'est vrai que pour les apparences...

— Oui, donc, vous confectionnerez la garniture, cela suffira.

— Mais alors, je vais vraiment pouvoir travailler ? »

Tokue rit, le visage tourné vers le ciel. Et puis, sa joue droite se crispa. On aurait dit qu'il y avait quelque chose de caché sous la peau de son visage, comme des plaques dures, songea Sentarô. C'était peut-être pour cela que ses yeux paraissaient avoir une forme différente.

« Alors... Comment vous appelez-vous, jeune homme ? »

Cette fois, c'était au tour de Sentarô de répondre aux questions.

« Sentarô Tsujii.

— Sentarô Tsujii ? C'est joli. On dirait un nom d'acteur.

— Mais non, voyons. Quelle idée... »

À la demande de Tokue, il écrivit son nom sur une feuille.

« Alors, jeune homme, comment dois-je vous appeler ? Monsieur Tsujii, ou bien patron ?

— Comme vous voudrez.

— Dans ce cas… ce sera patron. La pâte de haricots d'ici, c'est vous qui la préparez, patron ?

— Oui… enfin, euh… »

Avec le sentiment d'être pris au piège, Sentarô chercha ses mots.

« Non, pour être honnête… Quand j'essaie, je n'y arrive pas. Parfois, elle a même un goût de brûlé. »

« Je vois », fit Tokue, d'un air entendu. Elle jeta un coup d'œil aux récipients et à la gazinière. Pour lui boucher la vue, Sentarô se posta devant elle et lui offrit du thé.

« Pendant cinquante ans, où avez-vous travaillé ? Dans une pâtisserie japonaise ?

— Je… C'est-à-dire que…

— Chez vous ? »

Peu lui importait. Tant qu'elle lui préparait une délicieuse pâte de haricots, c'était du pareil au même. Si le chiffre d'affaires progressait, il pourrait augmenter ses remboursements.

C'était tout ce qu'il avait en tête. Et lui non plus n'avait pas envie qu'on l'interroge sur ce qu'il avait fait avant. D'ailleurs, Tokue aussi tergiversait.

« Il m'est arrivé pas mal de choses… c'est une longue histoire.

— Ah oui, sans doute.

— Et c'est vous le propriétaire ?

— Non, c'est une sorte de petit boulot, on va dire.

— C'est quelqu'un d'autre, le propriétaire ?

— C'était l'ancien patron, celui qui a ouvert la boutique. Maintenant, c'est sa femme.

— Alors, vous n'avez pas tellement de responsabilités.

— On ne peut pas vraiment dire ça.

— Je dois me présenter à la propriétaire aussi ?

— En fait, en ce moment, elle n'est pas très en forme, elle passe une fois par semaine, voire moins. On verra. »

Le visage de Tokue parut brièvement se détendre, remarqua Sentarô.

« Et l'ancien patron ?

— Il est décédé.

— Ah bon, ça alors. »

Sentarô tendit un calepin et un stylo à Tokue, restée songeuse.

« Alors, grand-m…, hum, madame Yoshii, voulez-vous bien écrire ici vos nom, prénom et adresse, s'il vous plaît ? »

Tokue, les yeux sur le calepin, se figea. Elle hésita : « C'est-à-dire qu'avec mes doigts… »

Ça commence, se dit-il. Sentarô faillit fermer les yeux pour garder son calme. Mais Tokue s'empara du stylo. Elle traça chaque trait avec soin. Comme les caractères à l'encre bleue que Sentarô avait déjà vus, son écriture avait quelque chose de particulier. Il lui fallut du temps pour tout écrire.

« Et votre numéro de téléphone ? Vous n'avez pas de téléphone portable ?

— Eh bien non, je n'ai pas le téléphone. Vous pouvez m'écrire.

— Là n'est pas la question…

— Ça ira, parce que je ne suis jamais en retard. Je me lève encore plus tôt que les petits oiseaux.

— Mais puisque je vous dis que ce n'est pas ça le problème… »

La feuille portait le nom d'un quartier à la lisière de la ville. Les traits étaient si appuyés qu'ils s'étaient imprimés sur plusieurs pages d'épaisseur. En lisant cette adresse, Sentarô sentit quelque chose le titiller. Mais il ne savait pas quoi.

5

La trotteuse marquait les secondes qui s'écoulaient.

Sentarô, les deux mains sur la couette, contemplait le plafond plongé dans la pénombre. Il avait sifflé un whisky avant de se mettre au lit, mais il n'arrivait pas à s'endormir.

Il tourna la tête et attrapa le réveille-matin posé à la tête du lit. Il vérifia, au toucher, que l'alarme était bien enclenchée.

Tokue Yoshii devait commencer le travail le lendemain matin. Il était prévu qu'elle vienne un jour sur deux pour confectionner la pâte de haricots. Il ne pouvait pas se permettre d'être en retard. C'est pour cela qu'il s'était couché beaucoup plus tôt que d'habitude.

Qui était-elle vraiment, cette grand-mère ?

Sentarô était résolu à lui confier uniquement la préparation de la garniture, mais cela continuait à le préoccuper, sans qu'il sache pourquoi.

Peut-être parce qu'elle était un peu dure d'oreille, Tokue Yoshii tenait parfois des propos incongrus. Mais Sentarô avait l'impression qu'elle déguisait sa véritable personnalité. Elle affichait un sourire doux, mais du fond de ses yeux jaillissait parfois une étincelle puissante. Elle scrutait Sentarô avec insistance.

Après lui avoir fait écrire son adresse, Sentarô lui avait expliqué le fonctionnement de la boutique. Il lui avait avoué avoir toujours utilisé de la pâte de haricots industrielle, et s'atteler aux préparatifs deux heures seulement avant l'ouverture. Tokue avait alors brièvement haussé le ton : « Comment ça ? Si vous voulez utiliser de la pâte de haricots fraîche, il faut vous y mettre avant le lever du soleil.

— Mais un coup de fil suffit pour être livré.

— Qu'est-ce que vous racontez ? La garniture, c'est crucial, patron.

— Euh... oui. C'est pour ça que je vous ai demandé de venir.

— Patron, si c'était vous le client, vous auriez envie de faire la queue pour manger un *dorayaki* d'ici ?

— Euh... non. »

Sentarô avait essuyé une salve de critiques. Tokue avait beau l'appeler patron, il était bien en peine de lui rétorquer quoi que ce soit.

Au bout du compte, il fut décidé qu'il suivrait les instructions de Tokue. Les préparatifs débuteraient à six heures, lorsque Sentarô mettrait les haricots à cuire. Tokue le rejoindrait par le premier bus.

Je me suis fourré dans un drôle de guêpier, se dit-il dans un long soupir en direction du plafond.

C'était maintenant la quatrième année qu'il travaillait pour Doraharu sans prendre un seul jour de congé. Mais jamais il n'avait commencé aussi tôt le matin.

Pourquoi donc avait-il embauché cette femme ? Peut-être avait-il fait une erreur.

En plus, contrairement à sa première impression, elle avait l'air plutôt casse-pieds.

« Pff, ça craint. »

Ils n'avaient pas commencé que Sentarô en avait déjà assez.

Il y avait aussi une autre raison à ses soupirs. Comment l'annoncer à la femme de l'ancien patron, qui était maintenant la propriétaire ? C'était ça le hic.

Depuis la mort du patron, sa femme se portait de moins en moins bien elle aussi. Quand elle passait à la boutique, par exemple pour vérifier les comptes, elle faisait une tête de six pieds de long. Elle ne mangeait plus de *dorayaki* non plus, parce que c'était trop sucré. Elle avait toujours été pointilleuse, avec une préoccupation excessive pour les questions d'hygiène. Sentarô s'était fait réprimander à plusieurs reprises sur sa façon de faire le ménage.

Dans le passé, une fois seulement, il avait embauché un étudiant. Sous prétexte qu'il ne l'avait pas consultée, la propriétaire n'avait cessé de lui faire des remarques. Pour couronner le tout, elle avait vu le garçon fumer une cigarette derrière la boutique. Bien entendu, elle avait téléphoné à Sentarô. Elle s'était mise à lui hurler dessus sans crier gare, qu'est-ce qu'il comptait faire si ça sentait mauvais à l'intérieur ? Puis elle lui avait mis les points sur les i : « Quand vous engagez quelqu'un, je veux être présente. »

Il lui cacherait l'embauche de Tokue Yoshii pendant un temps.

En se retournant dans son lit, Sentarô prit sa décision. Parce que pour commencer, il ne savait même pas si Tokue allait être capable de travailler, avec ses mains handicapées.

Il émit un claquement de langue en direction du plafond.

Car cette fois-ci, le visage des collégiennes et lycéennes qui traînaient à la boutique lui était venu à l'esprit.

Elles débarquaient en nombre et monopolisaient les cinq chaises du comptoir en piaillant. En plus, elles laissaient du bazar dans leur sillage.

Rien que l'autre jour, l'une d'elles s'était plainte d'avoir trouvé un pétale de cerisier dans la pâte de son *dorayaki*. Comme la majorité des clients achetaient des *dorayaki* à emporter, la vitre coulissante de Doraharu était toujours grande ouverte. Au printemps, des pétales de cerisier s'y glissaient. Parfois, ils se mêlaient à la pâte en train de cuire.

Ce jour-là, Sentarô s'était excusé. Il avait offert un nouveau *dorayaki* à la jeune fille. Et les autres en avaient profité. Elles l'avaient chahuté, prétendant qu'il y avait aussi un pétale dans leur *dorayaki*. Il y en avait même une qui avait sorti son téléphone portable pour répandre la nouvelle : *dorayaki* à volonté chez Doraharu !

Quand elles verraient les doigts de la grand-mère, comment réagiraient-elles ? Ou plutôt, comment la vieille femme résisterait-elle à la sauvagerie de ces filles ?

Tout cela l'enquiquinait, songea-t-il. Il n'arrêtait pas de se retourner dans son lit.

« Je te jure, ces filles, tout ça pour un pétale de fleur… Et alors ? »

Il donna un coup de poing dans le renflement de la couette. Puis il tendit une nouvelle fois la main vers le réveille-matin.

6

Le lendemain matin, Sentarô arriva un peu en retard. Sous le cerisier, Tokue Yoshii l'attendait. Sentarô s'excusa et Tokue montra du doigt l'arbre au-dessus d'elle : « De minuscules cerises ont poussé.

— Vous avez eu un bus ? À cette heure ?

— Ne vous en faites pas pour ça. »

Comme Tokue gagna l'entrée de service de la boutique sans rien ajouter, il n'en apprit pas plus, mais il aurait été très étonné que les bus circulent déjà.

Ils pénétrèrent dans la cuisine, où les haricots *azuki* mis à tremper la veille au soir avaient gonflé. Le saladier était plein. Chaque grain luisait, altérant l'atmosphère autour du plan de travail. Davantage qu'un ingrédient, il semblait à Sentarô voir une grappe d'êtres vivants. « Ah, c'est bien », dit Tokue en approchant son visage du récipient.

Ce n'étaient pas des haricots *azuki* réputés comme ceux d'Obihiro ou de Tamba. Vu le prix de vente d'un *dorayaki*, Sentarô ne pouvait pas se permettre d'utiliser des haricots de qualité supérieure, cultivés au Japon. Tokue avait demandé à tester d'autres haricots, pas nécessairement d'un lieu connu. Sentarô avait d'abord trouvé cela assommant, mais il avait passé commande à son fournisseur, qui lui avait livré des haricots *azuki* du Canada, pour commencer.

En quantité, il avait tablé sur deux kilos de haricots par fournée. Après une nuit passée à tremper, leur poids doublait, pour dépasser les quatre kilos. La préparation consistait, après avoir fait cuire les haricots à l'eau, à les mettre à mijoter dans un sirop à la teneur en sucre en poudre équivalant à 70 % de leur poids. Ainsi, il devait obtenir à peu près sept kilos de haricots réduits en purée grossière.

En évaluant à vingt grammes la quantité de *an* nécessaire par *dorayaki*, il aurait de quoi en confectionner entre trois cent trente et trois cent quarante. Puisqu'en une journée il n'écoulait pas les cinq kilos de pâte de haricots industrielle, avec une telle quantité, il aurait de quoi tenir plusieurs jours, c'était certain.

« Avant de les faire bouillir… », murmura Tokue qui se mit à examiner les haricots avec soin, un par un : « Patron, vous les avez observés avant de les mettre à tremper ?

— Quoi ?

— Eh bien, les haricots *azuki.* »

Sentarô secoua la tête.

« Parce qu'il y en a qui ne conviennent pas. »

De ses doigts déformés, Tokue saisit un haricot. Elle en repêcha plusieurs, qu'elle déposa sur la paume de sa main et montra à Sentarô. L'enveloppe du haricot était restée dure par endroits, ou bien elle s'était déjà fendue et le haricot avait éclaté.

« Peut-être que les haricots d'origine étrangère ne sont pas très bien triés. Il faut être vigilant, patron. »

L'attitude adoptée par Tokue envers les haricots était étrange. Elle approchait son visage des *azuki*. Tout près. Exactement comme si elle envoyait des ondes à chaque grain.

Tokue continua à se comporter de la même manière après les avoir mis à cuire.

Dans les pâtisseries japonaises, la bassine en cuivre réservée à la cuisson de la pâte de haricots confits porte un nom spécial : *sawari*. Sentarô avait tenté d'en confectionner à plusieurs reprises ; il avait toujours laissé le *sawari* sur le feu jusqu'à ce que les haricots deviennent tendres.

Mais pas Tokue. Sa méthode était tout à fait différente.

D'abord, quand l'eau frémissait, elle y ajoutait immédiatement de l'eau froide. Après avoir répété cette manœuvre plusieurs fois, elle égoutta les haricots et jeta l'eau de cuisson. Puis elle les remit dans le *sawari*, qu'elle remplit cette fois d'eau tiède. Tokue expliqua que ce procédé permettait de rendre les haricots plus digestes. Leur amertume et leur âpreté étaient ainsi éliminées avec l'eau. Ensuite, en les remuant délicatement avec une cuillère en bois, elle les fit lentement mijoter à feu doux. À chacune de ces étapes, Tokue approchait son visage si près des haricots qu'il baignait dans la vapeur d'eau.

Que regardait-elle donc ? Les haricots *azuki* subissaient-ils une quelconque transformation ? Sentarô fit lui aussi un pas en avant et examina les haricots disparaissant sous un nuage de vapeur. Mais il ne discerna aucune évolution significative.

La cuillère en bois entre ses mains handicapées, Tokue s'abîmait dans la contemplation. Sentarô observa son profil à la dérobée. Dans la mesure où il travaillait avec elle, allait-il devoir faire preuve de la même ardeur ? Rien que d'y penser, cela le décourageait.

Pourtant, sans savoir pourquoi, Sentarô finit par se laisser fasciner par les haricots dans la bassine en cuivre. Les grains frémissaient dans l'eau de cuisson. Pas un seul n'avait éclaté.

Il restait encore un peu de liquide lorsque Tokue éteignit le gaz et posa une planche à découper sur le *sawari*. D'après elle, c'était ainsi qu'on laissait reposer les haricots. Toutes ces techniques étaient inconnues de Sentarô. « C'est compliqué, tout ça », laissa-t-il échapper ; ce à quoi Tokue répondit : « C'est une question de courtoisie.

— Pour la clientèle ?

— Non. Pour les haricots.

— Les haricots ?

— Oui, puisqu'ils ont fait l'effort de venir du Canada. »

Sans trop attendre, Tokue ôta la planche à découper. Elle scruta attentivement les *azuki* et versa de l'eau froide dans la bassine. Pour les laver, dit-elle. Elle les arrosa à plusieurs reprises, en les caressant du bout des doigts, jusqu'à ce que la surface de l'eau soit claire. Toujours le visage collé aux grains. On aurait dit qu'elle cherchait de l'or, pensa Sentarô.

« Cette boutique n'a jamais vu quelqu'un d'aussi scrupuleux, vous savez.

— Si on bâcle maintenant, tout le travail fourni jusqu'à présent sera fichu en l'air. »

Sentarô se contenta de la regarder, les bras croisés.

« Dites-moi… je m'interroge depuis le début, mais, il y a quelque chose à voir ?

— Quoi ?

— Qu'est-ce que vous regardez, le visage collé aux haricots ?

— Je fais juste de mon mieux, c'est tout.

— De votre mieux ?

— Allez, patron, prenez la bassine. »

Sentarô échangea sa place avec celle de Tokue et souleva le récipient des deux mains. Il le vida dans la passoire posée dans l'évier. L'eau s'écoula, découvrant les haricots *azuki* cuits.

« Oh, ils sont beaux ! »

Sentarô se pencha en avant. La différence de savoir-faire était flagrante. Il ne pouvait que l'admettre. Alors que les haricots avaient cuit longtemps, chaque grain était bien joufflu. Pas ridé. Avec la méthode de Sentarô, généralement, la plupart des haricots éclataient, libérant tous leurs féculents. Ceux qu'il avait sous les yeux avaient cuit en conservant tout leur lustre. Chacun des grains alignés en bon ordre resplendissait.

« Voilà à quoi cela ressemble, une fois prêt. Je l'ignorais. »

Devant Sentarô fasciné, Tokue rit en haussant les épaules.

« Une fois prêt ? Patron, vous avez vraiment déjà confectionné de la pâte de haricots ?

— J'ai essayé.

— Eh bien alors, vous n'avez pas fini d'apprendre. »

C'était maintenant au tour de Sentarô d'œuvrer. Tout d'abord, il fallait confectionner le sirop qui donnerait sa saveur sucrée à la pâte. Il versa deux litres d'eau chaude dans la bassine en cuivre maintenant vide, qu'il mit à bouillir. Dedans, il fit fondre deux kilos et demi de sucre en poudre.

Tokue, debout tout près de lui, lui expliquait les étapes-clés.

Une fois le sucre fondu, continuer à mélanger doucement le sirop. Ne pas le laisser bouillir trop fort. Ajouter délicatement les haricots cuits. Étroitement surveiller le feu.

Sentarô, parvenant tant bien que mal à appliquer ses conseils, commença enfin à incorporer les haricots au sirop.

« C'est une étape délicate. Parce que ça roussit tout de suite. »

« Gardez l'extrémité de la spatule en contact avec le fond du récipient », intima Tokue à Sentarô, une recommandation nouvelle.

En même temps, elle ajouta du sel au contenu du *sawari*.

« Attention, parce que si ça brûle maintenant, c'est foutu. »

« Tenez la spatule bien droite. »

« Faites vite ! »

« Ce n'est pas la peine de touiller dans tous les sens. »

Depuis la façon de tenir la spatule jusqu'à l'inclinaison à lui donner, elle le bombardait d'instructions détaillées. Le front et le cou de Sentarô dégoulinaient de sueur – et pas seulement parce qu'il se tenait devant une source de chaleur.

Mais il se disait qu'en effet, elle avait raison.

Quand il avait tenté de préparer sa pâte, c'était toujours à ce stade qu'il échouait. Avec cette bouillie sucrée, le fond de la casserole attachait facilement. Si on baissait le feu pour lui éviter de brûler, c'était alors le temps de cuisson trop long qui nuisait à la texture de la garniture. Pour obtenir une purée grossière agréable à l'œil comme au palais, il ne fallait pas avoir peur de chauffer suffisamment pour faire évaporer le liquide, tout en jouant adroitement de la spatule en bois afin d'éviter la moindre plaque de roussi.

S'épongeant le front sur la manche de son tablier, Sentarô s'escrima sur la spatule. Et alors, à un moment inattendu, il entendit : « C'est bon, vous pouvez éteindre le feu.

— Mais c'est encore de la bouillie.

— La consistance est parfaite. C'est pile le bon moment.

— Oui, mais… avec ça… »

Le contenu du *sawari* était encore trop liquide. Sentarô avait beau ne pas être au point sur la préparation de la pâte, il en connaissait parfaitement la consistance. Avec cette fluidité, elle coulerait lorsqu'il la déposerait entre les deux petits pancakes.

Pourtant, une fois le feu éteint, au fur et à mesure qu'il mélangeait la mixture à la spatule, elle prit peu à peu de la consistance. Tokue étala un torchon sur la planche à découper.

« On va encore la laisser reposer un peu. Pour la faire confire. Ensuite, on fera des petits tas ici, à la cuillère en bois.

— Des petits tas de quoi ?

— De haricots confits. »

Mais comment ? Tokue prit la spatule des mains de Sentarô, confondu.

« Allez patron, faisons une petite pause. »

7

Pendant que la pâte refroidissait, Tokue invita Sentarô à consigner dans un carnet les diverses étapes de la préparation. « J'apprends en regardant », répondit-il, ce à quoi elle rétorqua : « Alors, passez-moi tout en revue depuis le début. » Coincé, il ouvrit son carnet.

« Vous êtes du genre sûr de vous, patron.

— Mais non, pas du tout.

— C'est parce que vous êtes sûr de vous que vous ne voulez pas prendre de notes. Mais en pâtisserie, ce sont les détails qui comptent. Comment vous en souviendrez-vous si vous n'écrivez rien ?

— Hum. »

Sentarô se fit tout petit, et Tokue lui expliqua de nouveau la préparation, depuis le trempage des haricots.

« Où est-ce que vous avez appris tout ça ?

— Ça fait longtemps que j'en fais, vous savez.

— Cinquante ans, c'est ça ?

— La clientèle, ici, c'est beaucoup de personnes âgées comme moi, non ? »

Sentarô secoua la tête.

« Surtout des collégiennes et des lycéennes. Elles piaillent sans cesse, c'est exaspérant.

— Ah bon… des jeunes filles… »

Le rouge monta soudain aux joues de Tokue.

« Elles sont jeunes, elles ont bien le droit de piailler, non ?

— Je les supporte parce que ce sont des clientes.

— Alors moi aussi, je vais pouvoir les rencontrer ? »

Non…

Sentarô faillit répliquer, mais il ravala ses paroles. Simplement, il n'avait pas changé d'avis, Tokue repartirait une fois la préparation prête. Il n'était pas question de céder sur ce point, pensa-t-il.

Tokue regarda dans la bassine en cuivre et se mit à mélanger les haricots avec une cuillère en bois.

« Ils sont juste comme il faut. »

Elle prit une cuillerée de pâte, qu'elle déposa directement sur le torchon.

« Il faut faire ça ? »

— Ellc transpire encore, c'est ainsi qu'on absorbe l'humidité. Comme ça, une fois qu'elle aura refroidi, elle sera remarquablement fondante. »

De la vapeur s'élevait de chaque cuillerée de haricots confits. La surface des monticules disposés sur le torchon était luisante, un parfum doux et profond emplissait la cuisine.

« Après, il reste à voir si la pâte que vous confectionnez se marie bien avec. »

Sentarô déposa une louche de pâte à pancakes sur la plaque chauffante brûlante.

C'était ce qu'on appelle une pâte trois-tiers, un mélange classique, l'unique préparation que, de son vivant, l'ancien patron lui avait correctement apprise. Des œufs, du sucre semoule et de la farine. Ces trois ingrédients mélangés à parts égales, au gramme près. Il y ajoutait une pincée de bicarbonate de sodium, un trait de saké doux et un peu d'eau pour obtenir la consistance voulue, mais cette pâte trois-tiers restait la même tout au long de l'année. C'était simple et efficace, sans prise de tête et, avec de l'habitude, à la portée de n'importe qui.

Le problème, c'était la cuisson. À la différence des *imagawayaki*, par exemple, ces petits gâteaux fourrés à la pâte de haricots confits qu'on fait cuire dans des moules, les pâtisseries spécialisées dans les *dorayaki* utilisent une plaque chauffante lisse. Les ronds de pâte, de taille et d'épaisseur uniformes, y sont mis à cuire à un rythme soutenu. Ça a l'air facile, comme ça, mais pour un novice, c'est une opération extrêmement délicate. Il suffit d'une légère différence de consistance pour que la taille des ronds de pâte varie et, pour commencer, rien ne garantit que la louche de pâte versée sur la plaque produira un disque régulier. En plus, pour compliquer l'affaire, si on ne retourne pas la pâte au bon moment, elle brûle.

Ce jour-là, peut-être parce que c'était la première fois qu'il avait appris à préparer une pâte de haricots digne de ce nom, ou parce que la présence continuelle de Tokue à ses côtés le galvanisait, Sentarô réussit ses petits pancakes. Ils étaient tous bien ronds. Avec lui, c'était rare.

La boutique ouvrirait dans un quart d'heure. Ils avaient commencé un peu après six heures, ils avaient donc travaillé environ quatre heures et demie. Sentarô et Tokue, s'étirant et se massant les bras, s'installèrent sur les tabourets de la cuisine.

De la pâte de haricots confits encore tiède entre deux petits pancakes joufflus fraîchement cuits. Pour les amateurs, c'est un instant divin.

Sentarô adressa un signe de tête à Tokue et porta le *dorayaki* à ses lèvres.

Instantanément, l'arôme lui monta aux narines, flottant jusque derrière lui.

C'était le parfum de haricots *azuki* vivants, sans rien à voir avec l'odeur de la pâte industrielle. L'arôme surgissait, comme jaillissant vers le haut. Mais il avait aussi une certaine complexité. Une saveur sucrée, tout en légèreté, se déploya sur le palais de Sentarô.

Il sourit à Tokue et croqua une nouvelle bouchée. Vraiment, c'était renversant. « C'est complètement différent, constata-t-il en se frottant les joues.

— Qu'en pensez-vous, patron ?

— C'est la première fois que je goûte des haricots confits comme ceux-là.

— Vraiment ?

— Enfin une pâte de haricots confits que j'arrive à manger !

— Pardon ? »

Le regard de Tokue se tourna vers la main de Sentarô, qui tenait le *dorayaki* portant la trace de ses dents.

« Qu'est-ce que vous racontez ? »

Tokue aussi avait suspendu son geste, son *dorayaki* entamé à la main.

« Eh bien, c'est-à-dire que… madame Yoshii…

— Oui ? »

Tokue reposa son *dorayaki* dans l'assiette.

« En fait, il est extrêmement rare que j'en mange un en entier.

— Comment ça ? »

Tokue en était bouche bée.

« Pourquoi ? Ne me dites pas que vous n'aimez pas ça ? »

Sentarô fit précipitamment un geste de dénégation.

« Non, ce n'est pas ça… J'en mange, mais, c'est juste que je ne suis pas très porté sur le sucre.

— Ah bon, vraiment…

— Mais votre pâte de haricots est fantastique. Je m'étais déjà fait la réflexion l'autre jour, mais une pâte comme celle-là… bref, c'est la première fois.

— Dites-moi, patron : vous détestez les sucreries ? »

Tokue ne quittait pas des yeux le visage de Sentarô.

« Non, ce n'est pas que je déteste ça, simplement, un gâteau entier… ça fait beaucoup.

— Pourquoi ? »

Au fur et à mesure que la voix de Sentarô faiblissait, celle de Tokue enflait.

« Pourquoi travaillez-vous dans une échoppe de *dorayaki* ?

— Euh… bonne question. »

Incrédule, Tokue lui lança un regard furieux.

« Non, c'est-à-dire que ça s'est fait comme ça.

— Comme ça…

— Eh bien, les circonstances ont fait que… »

Sentarô saisit son *dorayaki* entamé et en prit une nouvelle bouchée.

« Mais alors, là…

— Quoi ? Vous ne dites pas les choses clairement, patron.

— Je viens de m'en rendre compte, mais votre pâte de haricots est tellement bonne qu'elle relègue le pancake au rang de simple figurant. C'est déséquilibré. »

Tokue, la tête penchée, l'air interrogateur, attrapa le reste de son *dorayaki* et l'avala.

« C'est vrai, maintenant que vous le dites.

— N'est-ce pas ? Les haricots sont si bons qu'ils éclipsent le reste. La pâte autour perd tout son sens. J'ai même l'impression qu'elle gâche le reste. »

Pendant qu'il parlait, en son for intérieur, une petite voix incitait Sentarô à la prudence. Ne te rajoute pas de travail ! criait-elle. Mais ses paroles avaient précédé sa pensée.

« Avec une pâte meilleure, ce serait quand même mieux…

— Vous ne pouvez pas l'améliorer un peu ?

— Je verrai. Mais bon, quoi qu'il en soit, c'est la première fois depuis que cette boutique existe qu'on utilise une pâte de haricots aussi délicieuse.

— Vous pouvez bien me complimenter, patron… je suis déçue. Jamais je n'aurais imaginé que quelqu'un qui n'aime pas les sucreries vende des *dorayaki*.

— Puisque je vous dis que j'aime ça. Regardez, j'ai tout mangé. Ça faisait longtemps que ça ne m'était pas arrivé. »

Comme pour bien montrer qu'il n'avait rien laissé, Sentarô se frotta les mains pour se débarrasser des miettes.

« Mais c'est dommage, quand même.

— À la base, c'est plutôt ça, mon truc », dit-il en faisant mine de porter un verre à ses lèvres.

Tokue plissa le nez.

« Dans ce cas, vous auriez mieux fait de tenir un bar. »

Sentarô ne répondit rien et se leva pour lever le rideau de fer.

8

La pâte de haricots de chez Doraharu a changé.

Sentarô s'interrogeait : fallait-il l'afficher en devanture ? Mais alors, il s'exposerait à des remarques : et celle que vous utilisiez jusqu'à présent, qu'est-ce qu'elle valait ? Il décida de s'abstenir.

Mais dès le premier jour, la différence fut flagrante. Les collégiennes et lycéennes habituellement turbulentes étaient étrangement silencieuses ; « Tiens, c'est meilleur qu'avant », dirent-elles en examinant Sentarô.

Il noya le poisson, les haricots sont, hum, meilleurs, c'est ça, sans évoquer Tokue.

Des clients ayant acheté des *dorayaki* à emporter réagirent aussi. « Vous avez changé de fournisseur ? » lui demanda-t-on.

À l'arrivée de Tokue, la fois suivante, Sentarô l'en informa. Elle sourit, « Tant mieux ! », mais sans en tirer aucune vanité.

« Mais le chiffre d'affaires n'a pas bougé. Tant qu'à faire des compliments, ils pourraient acheter davantage.

— C'est déjà bien qu'ils viennent.

— Quand même, une pâte de haricots comme celle-là, on n'en voit pas souvent.

— La vie n'est pas si…

— Je sais. »

À côté de Sentarô, une cuillère en bois à la main, Tokue, comme toujours, s'absorbait dans la contemplation des haricots *azuki* dans le saladier.

Les haricots confits confectionnés par Tokue étaient invariablement d'excellente qualité.

Son attitude pendant la préparation le garantissait, semblait-il à Sentarô.

Avant tout, elle prenait grand soin des haricots *azuki*. Comme oubliant son handicap aux mains, elle accomplissait chaque opération avec minutie. Son visage était toujours tout près des haricots.

Puisque Tokue souhaitait tester d'autres haricots que ceux produits au Canada, Sentarô obtint de son fournisseur des haricots du Shandong, en Chine, et d'autres cultivés aux États-Unis. Tokue les prépara tous habilement. Chaque variété exhalait des arômes subtils mais légèrement différents, se signalait aussi par un lustre particulier. Tokue fit remarquer : « C'est intéressant, n'est-ce pas ? »

Changer de haricots compliquait les opérations. Sentarô trouva d'abord cela assommant, mais lui aussi, à sa manière, commença à s'intéresser à la cuisson des haricots. Puisqu'ils avaient chacun leur particularité, pourquoi ne pas vendre toute une gamme de *dorayaki*, en fonction de la région d'origine des haricots *azuki* ? Ou peut-être gagnerait-il plus d'argent avec des pâtisseries qui misaient tout sur la pâte de haricots confits, comme le *yôkan* – de la pâte de haricots gélifiée – ou le *kintsuba* – des haricots confits enveloppés d'une fine couche de pâte grillée –, par exemple ? Il l'envisagea fugitivement.

Mais il ne pouvait pas augmenter davantage sa charge de travail.

Il s'astreignait sans le moindre repos à la préparation, une tâche à laquelle il n'était pas accoutumé. Les journées étaient épuisantes. Il fallait bien entendu compter avec la fatigue physique. À laquelle venaient s'ajouter son exaspération envers lui-même, et ses débats intérieurs.

S'il s'y attelait sérieusement, peut-être les haricots lui ouvriraient-ils un monde passionnant. Sentarô commençait à le soupçonner. Et cela lui apportait des sensations nouvelles. Mais en même temps, une part de lui se cabrait. Renouerait-il avec le temps où il s'employait à devenir écrivain, c'était une autre question, mais il lui fallait au moins en finir avec cette vie passée debout derrière une plaque chauffante. C'était impératif.

Peut-être à cause de cette disposition d'esprit, ou parce qu'il n'était vraiment pas fait pour cela, la consistance de la pâte de haricots que Sentarô tentait de confectionner seul, les jours où Tokue était absente, était loin d'être constante. Lorsqu'il lui semblait avoir fait quelques progrès, la fois suivante, elle avait un goût de brûlé. Parfois, il travaillait trop les haricots et la pâte devenait molle et collante, ou au contraire, il la laissait trop évaporer et elle était farineuse.

Néanmoins, puisqu'il avait renoncé aux seaux de pâte industrielle, lorsque celle que Tokue avait préparée venait à manquer, il lui fallait bien y mélanger la sienne. Quand Tokue goûtait cette mixture, Sentarô se sentait comme un écolier qui rend son devoir.

Lors de ces dégustations, Tokue, droite comme un i, portait une cuillerée de haricots à sa bouche. Le regard lointain, elle disait : « La saveur a quelque chose d'indécis » en regardant ailleurs. Sans critiquer pour autant, elle ajoutait : « Mais c'est intéressant. » Alors qu'elle était méticuleuse à l'extrême pendant la confection de la garniture, quand il s'agissait du résultat, elle était tout l'inverse, elle semblait même se régaler des variations de texture.

« Je pensais que j'allais devoir tout refaire.

— Quand même, elle est meilleure que celle de votre fournisseur.

— Vous me surprenez.

— C'est que les haricots *azuki* ont fait de leur mieux. »

Une fois la tension retombée, Tokue semblait plutôt insouciante dans sa façon de voir les choses comme de s'exprimer. Cela arrangeait bien Sentarô, mais en même temps, c'était aussi une source d'embarras.

Là où il était ennuyé, c'est quand la confection de la pâte était achevée. Il avait beau lui répéter qu'elle n'avait pas besoin de se montrer à la clientèle, après l'ouverture du magasin, Tokue s'attardait une heure ou deux en cuisine.

Il y avait bien sûr des raisons évidentes à cela. Elle n'était pas jeune. Et elle était handicapée. Au fil des jours, Tokue resta de plus en plus longtemps sur sa chaise au fond de la cuisine. Elle disait, « Je suis fatiguée », « Mes reins… », et elle restait la bouche ouverte, à bayer aux corneilles. Dans ces moments-là, elle paraissait perdre jusqu'à la force de boire une tasse de thé, elle se tenait simplement immobile, son tablier sur les genoux. Sa surdité aussi s'accentuait ; lorsqu'une annonce était diffusée dans la rue commerçante, Tokue levait le visage vers Sentarô, « Vous dites ? » Dans ces conditions, Sentarô ne pouvait quand même pas lui demander de partir. Alors arrivaient les premiers clients. Aïe, se disait Sentarô.

Parce que si malgré tout Tokue prenait soin de se dissimuler derrière les étagères, elle ne faisait absolument pas mine de partir. Lorsqu'un client se tenait devant la vitre coulissante, un bébé dans les bras, elle passait à demi la tête par la fenêtre, s'exclamait « Oh là là ! » et se trémoussait. Quand un groupe d'enfants apparaissait, on l'entendait dire : « Patron, offrez-leur un petit quelque chose. » Dans ces cas-là, Sentarô finissait par hausser le ton : « Vous allez rentrer, oui ? » Alors, Tokue ouvrait la porte de service et s'en allait discrètement.

Les températures avaient augmenté. Il faisait particulièrement chaud cet après-midi-là.

Sentarô, la main sur la porte du congélateur, poussa un grognement discret.

Il n'y avait pas vraiment la queue, mais les clients défilaient sans interruption. Comme il ne restait presque plus de la pâte mélangée le matin, il s'apprêtait à en sortir une portion supplémentaire. Mais le congélateur était vide. Il faudrait en préparer une nouvelle fournée pour servir les prochains clients. Pourtant, le soleil était encore haut dans le ciel.

Tout en s'excusant auprès de plusieurs personnes qui attendaient, Sentarô afficha en vitrine la pancarte en bois « Stock épuisé ». L'ancien patron l'avait achetée pour rire, elle traînait dans le fouillis sur l'étagère. D'aussi loin que Sentarô se souvienne, elle n'avait pas servi une seule fois.

Se demandant s'il s'était trompé, il réexamina la feuille sur laquelle il avait noté les proportions. Rien ne sortait de l'ordinaire. La poubelle à côté de la plaque chauffante débordait presque de coquilles d'œuf.

Il vérifia précipitamment le chiffre d'affaires. En gros, trois cents *dorayaki* vendus. C'était un record.

Après avoir baissé le rideau de fer, Sentarô partit se promener dans la rue commerçante baignée par les premiers rayons du soleil couchant. Malgré la fatigue, il avait le corps en feu. Il alla directement au restaurant de *soba*, où il prit un verre, seul.

Cet emploi, il ne l'avait pas choisi. Il voulait vite retrouver sa liberté. C'était son souhait le plus cher. Et pourtant, il éprouvait de la satisfaction, comme s'il avait franchi une étape. Cela le troublait. Il avait à la fois envie de crier victoire, et l'impression que les choses se compliquaient… Il ne savait plus trop où il en était.

Que faire ?

En plus, il devait se décider immédiatement.

Sentarô réfléchit en buvant.

Continuerait-il à afficher la pancarte en bois lorsque le stock de pâte était épuisé ? Ou bien devait-il saisir l'opportunité et envisager d'ouvrir même le soir ?

L'une comme l'autre possibilité lui paraissaient avoir des avantages et des inconvénients.

Si le chiffre d'affaires progressait, sa part croîtrait aussi. Il pourrait augmenter d'un coup le montant de ses remboursements à la propriétaire. D'un autre côté, il était clairement à deux doigts de craquer sous la charge de travail. Il se voyait mal se donner encore plus à fond. Sa journée entière se réduisait à la seule confection des *dorayaki*. Les jours s'envolaient dans la répétition des mêmes gestes.

Mais..., pensa-t-il aussi.

Plus il travaillerait chaque jour, plus vite il serait libéré de la prison qu'était sa plaque chauffante. Dans ce cas, ne fallait-il pas travailler à corps perdu, avec comme objectif principal de mettre de l'argent de côté ? C'était pour cela que le bon Dieu lui avait envoyé cette grand-mère. Elle confectionnait une pâte de haricots exceptionnelle pour un salaire de misère. Si ça, ce n'était pas une opportunité...

Sentarô marmonna dans sa barbe : « Le moment est peut-être venu. » Puis, l'esprit embrumé par l'alcool, il réfléchit aux aspects pratiques.

La rue commerçante était morne, mais tout de même plus animée à certaines heures : à partir de la fin d'après-midi, quand se croisent les gens qui rentrent du travail et ceux qui font leurs courses. À Tokyo, certaines échoppes consacraient l'après-midi aux préparatifs, pour ouvrir en début de soirée et jusque tard dans la nuit. Un nombre surprenant d'employés, hommes et femmes, avait envie de sucreries après avoir bu un verre. Dans ces conditions, il était vraiment stupide de fermer la boutique la nuit.

Il fallait au moins rester ouvert jusqu'à vingt ou vingt et une heures. En tout cas, s'il voulait attirer une clientèle nouvelle, il était hors de question à l'avenir de baisser le ridcau de fer avant l'heure où tout le monde rentrait du travail.

Mais alors, qui confectionnerait la pâte de haricots, dont la demande allait forcément augmenter ?

Sentarô se heurtait à ce problème.

Il était impensable qu'une femme de soixante-seize ans qui s'asseyait à tout bout de champ puisse travailler encore plus.

9

Était-il possible de préparer davantage de haricots confits ?

C'est quelques jours après avoir affiché la pancarte « Stock épuisé » que Sentarô posa la question à Tokue.

Celle-ci ne s'exclama ni « Hein ? » ni « Quoi ? », mais se contenta de le scruter fixement sans mot dire. Puis elle sourit.

« C'est bien, patron.

— Grâce à vous, la clientèle s'étoffe.

— Vous voulez plus de haricots confits ?

— Bientôt, oui.

— Dans ce cas, il faut que je vous prête main-forte. »

Sans rechigner le moins du monde, Tokue accepta d'augmenter la production. Après discussion, ils décidèrent de confectionner dix kilos de pâte par fournée.

« Vous allez avoir encore plus de travail, madame Yoshii.

— Pensez-vous, c'est une bonne chose.

— Comment vous sentez-vous, physiquement ? Vous tiendrez le coup ?

— Vous vous occuperez du travail de force, n'est-ce pas, patron ?

— Hum, oui.

— Alors, si on commençait dès aujourd'hui ? »

Tokue se trémoussa comme elle le faisait quand une mère et son bébé se tenaient devant la vitre coulissante.

Sentarô découvrit ce que signifiait être débordé. Les bons jours, il mettait sans cesse des ronds de pâte à cuire, sans avoir même le loisir de s'étirer. Entretemps, il fallait s'occuper de la clientèle. Il menait de front la confection des *dorayaki* et l'encaissement des clients.

Cependant, il continua à ne pas prendre de congés. Il ne fit pas venir Tokue plus souvent non plus. Comme scotché à sa plaque chauffante, il travaillait du petit matin jusqu'à la nuit.

Les journées s'écoulaient ainsi. Il y avait des hauts et des bas, mais le chiffre d'affaires était toujours bon.

Devant la boutique, le cerisier se faisait maintenant mouiller par les longues pluies de saison. Les feuilles perlées de gouttes d'eau luisaient d'un vert profond. C'était une humidité bénéfique pour les arbres. Mais elle signalait, pour les pâtisseries fraîches confectionnées sans conservateur, l'arrivée d'une saison délicate.

Les températures élevées et l'humidité étaient les ennemies de la pâte de haricots. Celle à forte teneur en sucre, utilisée par exemple dans les gaufrettes *monaka*, pouvait rester telle quelle, elle se conservait. Mais la pâte grossière des *dorayaki* ou des *manjû* réagissait mal. En fonction des conditions, il arrivait qu'elle se gâte en une demi-journée.

Sentarô était également attentif à la cuisson des ronds de pâte. S'il en préparait trop d'avance, ils se gorgeaient d'humidité et, tout collants, devenaient inutilisables. Pour éviter cela, la seule solution était de les faire cuire au fur et à mesure, en évaluant le flux de clientèle. Pendant la saison des pluies, tout était plus compliqué.

Mais grâce aux haricots de Tokue, Doraharu avait du succès. Même avec un parapluie à la main, les clients faisaient la queue devant la vitre coulissante. Alors que les années précédentes, en cette saison, la boutique aurait presque pu fermer, cette année, les journées étaient bien remplies.

C'est à peu près à ce moment que Sentarô, derrière la plaque chauffante, commença à éprouver des vertiges.

À la charge de travail, s'ajoutait la chaleur.

Par la fenêtre ouverte s'engouffrait la touffeur particulière à cette saison. Le climatiseur fonctionnait, mais Sentarô se tenait derrière une plaque chauffante brûlante. Des auréoles de transpiration se formaient sur son tablier. Il prit l'habitude de boire de l'eau en quantité pendant qu'il faisait cuire les ronds de pâte. Il avait de moins en moins d'appétit. Même les sandwichs de la supérette ne passaient plus. Malgré tout, il continuait à travailler tous les jours, comme possédé.

Le jour où, malgré la pluie, il afficha une nouvelle fois la pancarte « Stock épuisé », Sentarô avait le corps lourd comme jamais encore. De retour chez lui, il s'effondra dans la cuisine, où il resta étendu par terre un moment. Ce n'est qu'après avoir ingurgité une ample quantité de whisky qu'il se mit au lit.

Le lendemain.

Sentarô était assis dans la cuisine de Doraharu, le dos rond. Dans la bassine en cuivre se trouvait la pâte de haricots qu'il avait confectionnée lui-même. Elle avait presque fini de confire. Il n'y avait plus qu'à préparer les monticules à la cuillère en bois et la fournée supplémentaire serait prête.

Il avait beau connaître la marche à suivre, il était incapable de bouger. Son corps ne lui obéissait plus. Baigné par l'air froid du climatiseur, il restait simplement figé. Ne serait-ce que soulever un doigt lui coûtait.

Ce jour-là, il n'ouvrit pas la boutique.

Il avait fini par s'endormir sur son siège, semblait-il ; quand il rouvrit les yeux, la pendule indiquait presque midi. Il bougea enfin, mais sans parvenir à se motiver pour lever le rideau de fer. Haletant, il couvrit les haricots de film alimentaire. Avant de les mettre au congélateur, il retomba assis.

Il ôta son tablier et quitta la boutique.

Alors que le ciel avait été couvert jusqu'au petit matin, à présent le bitume réfléchissait brutalement la chaleur.

Étourdi par la lumière du soleil, Sentarô se réfugia à l'ombre du cerisier.

Une cigale précoce s'envola dans un crissement sonore.

Appuyé des deux mains contre l'écorce râpeuse, Sentarô tenait à peine debout. Une sueur désagréable jaillissait de tout son corps. Adossé au tronc du cerisier, il regardait les feuilles se balancer dans le vent. Le vert profond de la cime. Il ne pouvait que s'y accrocher du regard.

Alors, comme émergeant d'entre les feuilles, le visage de sa mère lui apparut par intermittence. Lorsqu'il était derrière les barreaux, elle était venue lui rendre visite à plusieurs reprises. De l'autre côté du plexiglas, sa mère, qui paraissait avoir vieilli d'un coup, gardait toujours le silence.

Soudain, Sentarô faillit se mettre à pleurer. Comme ses larmes semblaient prêtes à couler au moindre prétexte, il évita la rue commerçante qui drainait du passage et gagna la route longeant la voie ferrée. Se sentant comme acculé, il regarda passer plusieurs trains. Au bout d'un moment, il se fit peur lui-même à rester là, et repartit vers le quartier résidentiel.

Le ciel était parfaitement dégagé, le soleil dardait ses rayons éblouissants. La netteté du paysage soulignait d'autant plus, aux yeux de Sentarô, son propre désarroi. Les jours gâchés semblaient s'accumuler à ses pieds, s'y enchevêtrer. Sentarô se fit la réflexion qu'il n'était qu'une loque. Il avança au fil des ruelles, les unes après les autres. Crève ! murmurait une voix dans l'air.

C'est après avoir erré ici et là, tant et si bien qu'il ne savait plus par où il était passé, que Sentarô rentra enfin chez lui. Il s'effondra tout habillé sur son lit défait.

Il avait l'impression que du sang s'était accumulé dans sa poitrine, une chaleur diffuse en émanait.

Crève. Vas-y, crève.

Sentarô s'enfonçait dans cette voix, comme aspiré. Il haletait, comme s'il se noyait. Malgré tout, il fit un rêve. Il se vit, couvert de sueur, pantelant, en train de se débattre dans un lieu aux contours incertains.

10

Le téléphone sonnait.

Sentarô releva la tête. De l'autre côté des rideaux, il faisait jour. Il regarda le réveil, il était huit heures passées. Pourquoi était-il poursuivi par la sonnerie du téléphone et, pour commencer, pourquoi faisait-il jour ? Il n'y comprenait pas grand-chose. Mais la sonnerie ne cessait pas. Sentarô rampa jusqu'au téléphone dans la cuisine.

« Patron, qu'est-ce qu'il vous arrive ? »

C'était la voix de Tokue.

Sentarô grommela une réponse et Tokue répéta sa question :

« Qu'est-ce qu'il vous arrive ?

— Euh…

— Ça va ? »

Dans l'esprit embrumé de Sentarô, le paysage le long de la voie ferrée et la texture du tronc du cerisier refirent surface.

« Euh, je… »

Au cas où, il avait remis à Tokue un double de la clé de la boutique. Peut-être avait-elle ouvert et commencé à travailler seule.

« Vous avez eu une panne de réveil ? Vous ne vous sentez pas bien ?

— Désolé. »

J'arrive tout de suite, voulut-il dire, mais les mots ne sortaient pas, coincés dans sa gorge.

« Je ne me sens pas très bien, répondit-il seulement.

— Qu'est-ce que vous avez ?

— Je ne sais pas… Je crois que je suis fatigué.

— Ça va aller ?

— Je ne vais peut-être pas venir travailler. »

Tokue garda le silence un instant, puis elle dit :

« C'est vrai, vous n'avez pas arrêté. Reposez-vous.

— Je suis désolé.

— Comme j'ai commencé à préparer les haricots, je rentrerai quand j'aurai fini.

— Désolé. Vous y arriverez toute seule ?

— Mais oui. Mais dites donc, si vous preniez deux ou trois jours de congé ? »

S'il prenait autant de vacances, ne risquait-il pas de ne jamais revenir ? Sentarô en eut le pressentiment, il coupa la parole à Tokue :

« Je serai là demain. Euh, quand vous aurez terminé les préparatifs, rentrez chez vous, s'il vous plaît, madame Yoshii.

— Oui, on fait comme ça. Au fait… »

Tokue s'interrompit, comme si elle hésitait à parler. Sentarô lui dit seulement : « Pardon, mais je compte sur vous », et il raccrocha.

Le lendemain matin, il partit plus tôt que d'habitude pour Doraharu. Mais lorsqu'il arriva devant la boutique, le rideau de fer était à demi relevé, laissant flotter dans l'air des effluves sucrés.

« Madame Yoshii !

— Ah, patron !

— Que faites-vous là de si bonne heure, madame Yoshii ?

— Je me suis dit que j'allais préparer la pâte à votre place.

— Comment ça ? »

Tokue avait commencé à travailler seule, un jour où elle n'était normalement pas censée venir. Un peu perdu, Sentarô s'inclina devant elle.

« Désolé pour hier.

— Comment vous sentez-vous ? »

Tout en surveillant les haricots en train de bouillir dans la bassine en cuivre, Tokue lui adressa un sourire.

« Je pense que ça va aller.

— Quand même, ne jamais prendre de repos, ce n'est pas raisonnable.

— Hum. J'y réfléchirai. »

Sentarô s'excusa et enfila son tablier. Il s'apprêtait à le boutonner lorsqu'il suspendit soudain son geste.

La veille, au téléphone, Tokue avait dit avoir mis les haricots à cuire. La pâte pour la journée aurait déjà dû être prête. Alors pourquoi en préparait-elle encore ce matin ?

« Madame Yoshii. Vous avez préparé la garniture, hier. Où est-elle ?

— Ah, hier… »

Tokue quitta des yeux la bassine en cuivre, mais sans regarder tout de suite Sentarô en face. En se retournant, elle eut un haussement d'épaules.

« C'est-à-dire que... J'ai hésité, vous savez. J'ai préparé la pâte, et puis je me suis reposée un peu. Et alors, des clients sont venus.

— Comment ça ?

— Comme il y avait des clients, hier... je n'ai pas eu le choix, j'ai tenu la boutique.

— Hein ? Quoi ? »

Sentarô redressa la tête.

« Vous avez tenu la boutique ? Mais... comment avez-vous fait pour le rideau de fer ?

— Je n'aime pas quand il est complètement fermé. Donc, je l'avais un peu relevé, comme aujourd'hui, et, du coup, un client m'a interpellée.

— Vous m'aviez pourtant promis de rentrer quand vous auriez terminé les préparatifs. »

Sentarô sentit la sueur couler sous ses aisselles.

« Et pour la pâte, comment avez-vous fait ?

— Ah, ça... je l'ai fait cuire moi-même.

— Vous l'avez fait cuire ? Vous y êtes arrivée ?

— Eh bien... oui. Je suis désolée.

— Oh, vos excuses... »

Tokue posa la cuillère en bois et montra le comptoir du doigt.

« Et puis... Comme je ne savais pas comment tenir le livre de comptes, j'ai écrit ici combien de *dorayaki* j'ai vendus.

— Qu'est-ce que vous avez fabriqué... »

C'était un tableau tout simple. De son écriture particulière où chaque trait rebiquait étaient notés le chiffre d'affaires et les bénéfices. Les *dorayaki* s'étaient bien vendus.

« Vous avez fait ça toute seule ?

— J'étais débordée. Je n'ai pas arrêté de la journée.

— Vraiment, toute seule ?

— Oui. Toute seule. Ah, mais le rideau de fer, je l'ai ouvert avec le premier client. Et pour le fermer, j'ai demandé de l'aide au dernier client… »

Comment s'était-elle débrouillée ? À quoi ressemblaient ses ronds de pâte ? Avait-elle encaissé les paiements de ses doigts déformés ? Qu'avaient pensé les clients ?

Sentarô, accablé, était à deux doigts de s'effondrer. Tokue répétait : « Pardon.

— Non… vous m'avez surpris. Vous auriez pu m'en toucher un mot, quand même.

— Oui, mais vous m'auriez dit non, patron. »

Elle avait clairement enfreint les règles, mais Sentarô comprenait aussi qu'il n'était pas en position de la blâmer. Tokue saisit à nouveau la cuillère en bois, pétrifiée comme un enfant qu'on dispute.

« Mais si vous avez vendu tout ça toute seule… Vous deviez être fatiguée.

— Oui, j'étais fatiguée.

— Pourtant vous êtes revenue tôt ce matin.

— Oui, il était tôt. »

Ne sachant plus que faire, Sentarô s'assena une claque sur les joues, sans trop savoir pourquoi.

Tokue frémit, mais, sans s'en préoccuper, il saisit le verre doseur.

« Patron…

— N'en parlons plus. Combien de haricots avons-nous, aujourd'hui ?

— Euh, deux kilos, poids sec. »

Sentarô fit mentalement le calcul et versa dans le verre doseur le sucre pour confectionner le sirop.

« Patron…

— Quoi ?

— Qu'est-ce qui vous a pris ? C'était pour reprendre vos esprits ?

— Mais non. »

Pourquoi s'était-il claqué les joues ? Sentarô lui-même n'en savait trop rien.

Ce jour-là, Tokue fut gaie toute la journée. En mélangeant les haricots *azuki* avec la cuillère en bois, elle bavarda abondamment :

« Patron, d'où êtes-vous ?

— De Takasaki.

— Depuis que vous êtes parti, vous avez toujours vécu à Tokyo ?

— Oui, enfin, j'ai un peu roulé ma bosse.

— Ah, je vous envie, soupira Tokue.

— Mais non. C'est juste que… j'ai traîné ici et là.

— Ah bon ? Où ça ?

— Oh, principalement dans la région du Kantô.

— Eh bien, c'est chouette quand même. Moi… quand j'étais petite, je vivais à Aichi.

— Aichi ?

— Oui. Sur la ligne Iida, en partant de Toyohashi… c'était vraiment la campagne. »

Chose impensable en temps normal, Tokue avait quitté des yeux les haricots *azuki* pour regarder Sentarô.

« Mais les cerisiers étaient magnifiques, là-bas.

— Ah bon, c'est quel village ?

— Hum, eh bien… »

Tokue garda le silence un instant.

« Eh bien, il y a une colline, avec une rivière qui coule en contrebas. Et de la colline jusqu'à la rivière, il y a plein de cerisiers. Nulle part ailleurs on n'en trouvait d'aussi beaux. »

Pour une raison connue d'elle seule, Tokue ne nomma pas l'endroit.

« Vous y retournez parfois ?

— Non, cela fait des dizaines d'années… »

Elle secoua la tête et reporta son regard sur la bassine en cuivre.

« Patron, quels sont vos plats préférés ? Quelles spécialités y a-t-il, à Takasaki ?

— Des spécialités… Le bento *daruma*, c'est tout. C'est un plateau-repas qu'on trouve dans les gares, un *ekiben*. »

En versant l'eau pour le sirop dans un fait-tout, Sentarô eut un bref sourire. Elle posait des questions d'écolier, songea-t-il. Mais en l'occurrence, cela lui convenait bien.

« Les bentos *daruma*, il y en a des blancs et des rouges. Je me demande si le contenu est différent.

— C'est chouette, un *ekiben*. Manger en voyageant.

— Et vous, madame Yoshii, quels sont vos plats préférés ? Aichi, c'est les nouilles au miso, c'est ça ? Ou plutôt les nouilles *kishimen* ? »

Tokue agita la main devant son visage en signe de dénégation.

« Chez nous c'était vraiment la campagne. On préparait les pétales de cerisier en saumure. Puis on les buvait délayés dans de l'eau chaude, c'était ce genre d'endroit.

— Ça alors, on se croirait dans un pays étranger.

— Le Japon de l'époque et le Japon d'aujourd'hui, ce sont deux pays différents. »

Sentarô hocha la tête en allumant le feu sous le fait-tout.

« Tout change. Tout.

— Comment ça ? »

Tokue se redressa et toisa Sentarô de la tête aux pieds.

« Non, mais… c'est-à-dire que… je…

— Quoi ?

— Eh bien… j'ai des dettes. Envers cette boutique.

— Oh là là !

— Comment dire… J'ai traversé une mauvaise passe.

— C'est un gros montant ? Patron, vous n'êtes pas en train de vous faire rouler ?

— Non… C'est l'ancien patron qui a épongé mes dettes. Voilà pourquoi je suis ici. Ah, surveillez bien la bassine, s'il vous plaît. »

Rappelée à l'ordre par Sentarô, Tokue examina précipitamment le contenu du *sawari*.

« Pourquoi avez-vous de telles dettes, patron ? »

Sentarô baissa les yeux sur le fait-tout. Au fond de l'eau, de fines bulles commençaient à danser.

« J'en ai honte, mais je n'ai pas toujours mené ma vie comme il faut. J'ai avancé sans savoir comment m'y prendre, si on veut. Pourtant, autrefois, je voulais devenir écrivain. Mais rien de ce que je faisais n'aboutissait. De toute façon, en ce moment, je n'écris pas une seule ligne, je vois bien que c'est juste de la paresse. Pour autant, je ne suis pas non plus devenu un pro du *dorayaki*.

— Quand même, vous travaillez tous les jours.

— Mouais. »

Tokue éteignit le feu sous la bassine en cuivre. Mais, sans s'atteler au rinçage, elle resta à contempler les haricots cuits. Puis elle se tourna vers Sentarô.

« On va continuer ensemble. Je vais vous aider. »

Le contenu du fait-tout devant Sentarô bouillait maintenant à gros bouillons.

« Non, vous m'aidez déjà assez comme ça. Vous êtes comme une alliée puissante qui aurait fait son apparition. Cela dit, le destin n'est jamais tendre. »

Sentarô s'apprêtait à saisir le pot de sucre quand Tokue rétorqua, sa voix légèrement altérée :

« Quel destin ? Le destin, ce n'est pas un mot à prononcer à la légère.

— Hum.

— Le destin, ce n'est pas un mot pour les jeunes. »

Avec la sensation de s'être fait réprimander, Sentarô baissa les yeux.

« Moi… à une époque, je suis restée enfermée. »

Tokue s'interrompit, secoua brusquement la tête, puis commença à remplir d'eau la bassine en cuivre. Comme si elle se reprochait les mots qui venaient de lui échapper.

« Pardon. Vous vous faites du souci pour moi, et moi…

— Je suis désolée aussi. N'y pensez plus », dit Tokue sans regarder Sentarô.

11

Une nouvelle saison débuta.

Dans le cerisier, les cigales crissaient. Au coucher du soleil, qui survenait de plus en plus tôt, soufflait maintenant une brise légèrement rafraîchissante.

Doraharu s'apprêtait à vivre un été sans morte-saison.

D'ordinaire, pendant les grandes vacances, il y avait moins de collégiennes et de lycéennes. Mais pas cette année-là. Au contraire, les jeunes filles venaient presque chaque jour chez Doraharu, et s'asseyaient au comptoir. Elles étaient attirées par les *dorayaki* et les boissons fraîches, mais aussi, à la surprise de Sentarô, par la présence de Tokue, semblait-il.

C'était le cas des collégiennes qui venaient en groupe après leurs cours de soutien. Elles s'affalaient contre le comptoir en disant bien fort : « Y en a marre des études », de façon à être entendues par Tokue, assise dans l'arrière-boutique. Celle-ci leur souriait depuis son siège.

« Eh bien, et si vous preniez du bon temps l'espace d'une journée ? »

Les filles fronçaient le nez.

« Alors là, nos parents vont nous foutre à la porte.

— Eh bien, partez. Si vous avez envie de vous la couler douce.

— Vous blaguez ?

— Non, je suis sérieuse.

— Eh, ici, on pousse les collégiennes à la délinquance ! »

Tokue, tout en gardant une certaine distance avec les jeunes filles, semblait chercher le moment opportun pour leur adresser la parole. Sentarô le sentait. Lorsque leurs voix animées s'élevaient dans la rue commerçante, Tokue rejoignait pesamment son siège au fond de la boutique. Mais sur son visage se dessinait déjà un léger sourire.

« Qu'est-ce que je m'ennuie chez moi. Je veux pas rentrer ! »

Les jeunes filles discutaient entre elles lorsque soudain, ce cri avait fusé. Tokue répondit promptement : « Dans ce cas, à toi de trouver de quoi t'amuser. » « Mais comment ? » répliqua la fille, à qui Tokue suggéra : « Et si tu travaillais ici ? » Devant la plaque chauffante, Sentarô protesta : « Vous allez arrêter, oui ? »

Sentarô, lui, n'avait pas envie de plaisanter. Il avait beau s'agir de collégiennes et de lycéennes, elles achetaient un *dorayaki* et occupaient le terrain pendant deux heures, c'était pénible. Il brûlait de leur dire qu'elles avaient assez bavardé, qu'il était temps de s'en aller. Et pourtant, Tokue se mêlait à leur discussion, à croire que son rôle était d'alimenter la conversation.

Depuis le jour où Tokue lui avait dit avoir tenu la boutique, Sentarô avait changé d'avis. Il la laissait agir à sa guise. Son salaire horaire était terriblement faible, alors il comptabilisait toutes les heures qu'elle passait à la boutique. Pour autant, cela ne l'autorisait pas à frayer avec la clientèle.

Ce n'était pas le seul sujet d'inquiétude de Sentarô.

Lorsqu'ils apercevaient Tokue dans l'arrière-boutique, certains clients changeaient d'expression. Cela ne lui avait pas échappé. C'était vrai aussi pour les collégiennes et lycéennes assises au comptoir. Certaines se faisaient soudain silencieuses devant elle. Un bref éclair traversait leurs yeux.

Parmi les filles qui venaient rarement en groupe, il y avait une collégienne surnommée Wakana. Elle-même n'évoquait pas l'origine de ce sobriquet, mais d'après les autres, à un moment, elle avait été coiffée un peu comme Wakame, la petite fille du dessin animé *Sazae-san*. C'était justement à cette époque que ses parents avaient divorcé au terme d'un procès et « depuis, elle avait changé de coiffure et de caractère », d'après ses camarades.

Wakana n'était pas bavarde. En mangeant son *dorayaki*, elle scrutait la cuisine de ses grands yeux humides. Son regard, dont on ne savait sur quoi il était posé, était déstabilisant, et il arrivait, chose rare, que Sentarô s'enquière : « Qu'est-ce qu'il t'arrive ? »

Même quand il l'interrogeait, Wakana gardait le silence. Sa mère travaillait la nuit, elles n'étaient pas à l'aise financièrement et Wakana trouvait chez elle des sous-vêtements d'homme alors qu'elles vivaient seules ; c'est un jour que Tokue lui avait offert des *dorayaki* à sa façon qu'elle leur avait confié tout cela.

Ces *dorayaki* spéciaux n'étaient pas réservés à Wakana, Tokue en confectionnait de temps à autre. Elle fourrait de *an* ou de crème fraîche les ronds de pâte ratés de Sentarô. Lorsque les jeunes filles avec lesquelles elle parlait à cœur ouvert venaient, Tokue leur en offrait en disant : « C'est gratis. »

Cela déplaisait à Sentarô. Il avait beau le lui faire comprendre, Tokue ne cédait pas.

« Qu'est-ce que ça peut bien faire ? C'est mieux que de les jeter. »

« Ceux-ci sont meilleurs », disait Wakana, qui ne tarissait pas d'éloges sur les *dorayaki* spéciaux. Tokue, aux anges, y rajoutait une cuillerée de miel.

C'est après avoir englouti un de ces *dorayaki* originaux qu'un jour Wakana finit par demander à Tokue :

« Euh… Qu'est-il arrivé à vos doigts, madame Yoshii ? »

Sentarô se retourna ; Tokue venait juste de croiser les mains, comme pour cacher ses doigts.

« Eh bien, tu vois, ils sont restés pliés. Une maladie quand j'étais jeune.

— Quelle maladie ? »

Il sembla à Sentarô que le visage de Tokue s'était figé.

« C'était une maladie terrible. »

Tokue n'ajouta rien. Wakana hocha la tête, sans la questionner plus avant. Peut-être ne savait-elle plus quoi dire ; elle croqua dans son *dorayaki* et mastiqua en silence. Sentarô avait l'impression que seul ce bruit de mastication allait et venait entre Tokue et Wakana.

Depuis ce jour-là, Wakana n'était plus revenue.

En faisant la vaisselle, Tokue parlait souvent des collégiennes et des lycéennes qui fréquentaient la boutique.

Unetelle avait enfin retrouvé le sourire. Peut-être que ça allait mieux chez elle. Telle autre semblait avoir un chagrin d'amour. J'ai vu ses amies la consoler. Les temps ont beau changer, les mots sont toujours les mêmes dans ces moments-là. Au fait, Unetelle m'a montré son téléphone portable dernier cri. Je suis sûre que même vous, vous n'en avez jamais vu de pareil, patron. C'est avec ces objets que les enfants vont vivre, maintenant. Je me demande bien quelle époque nous attend.

Au fil de ces conversations, Tokue évoquait parfois Wakana. « On ne la voit plus ces derniers temps », dit-elle. Sentarô, qui grattait les traces de brûlé sur la plaque chauffante, répliqua : « Cette gamine mal-polie ?

— Pourquoi dites-vous ça ?

— Vous interroger comme ça sur vos doigts !

— Vous avez fait pareil, patron.

— Moi, c'était pour le travail. Il était nécessaire que je me renseigne.

— Mais… ce genre d'attitude…

— Quoi donc ?

— Je me demande, parfois… »

Sentarô releva le visage, il ne comprenait pas la réaction de Tokue.

« Faire semblant de ne rien voir, certes, c'est un comportement adulte. Mais est-ce que c'est bien, ou vaut-il mieux poser franchement la question…

— Hum, c'est compliqué.

— Wakana l'avait déjà remarqué. Mon problème aux doigts. Je le sais. Cette petite, elle m'a posé la question parce qu'elle pensait qu'on était devenues proches.

— Vous croyez ?

— Alors n'allez pas lui remonter les bretelles pour ça.

— Quoi ? C'est moi qui me fais houspiller ? »

Tokue lâcha un petit rire, Sentarô se sentit plus léger.

« Vous aimez les enfants, hein, madame Yoshii. Moi, quand elles débarquent en groupe, j'ai du mal…

— Moi… Autrefois, je voulais devenir professeur.

— Institutrice ?

— Oui, pourquoi pas… Mais je voulais enseigner le japonais au collège. Je voulais faire des études.

— Ah, c'était après la guerre, le Japon était pauvre, à l'époque. »

Instinctivement, Sentarô tenta de préparer le terrain pour Tokue.

« Ce n'était pas seulement chez moi, tout le monde était pauvre, vous savez.

— Professeur de japonais, vous disiez ? »

Il avait reposé la question, comme pour se rattraper.

« J'aimais la poésie. Heine, Hakushû Kitahara… Depuis toute petite, je lisais les recueils de poèmes que mon frère gardait dans sa chambre.

— Ça alors. Vous étiez ce genre d'enfant, madame Yoshii ?

— À l'époque, on n'avait pas d'autre plaisir que d'imaginer ce qui se cachait derrière les mots. J'aimais faire travailler mon imagination. Du coup, j'ai été surprise d'apprendre que vous vouliez devenir écrivain.

— C'est de l'histoire ancienne.

— Mais les rêves d'autrefois, ils restent, non ? Je ne pensais pas avoir l'occasion dans cette vie de discuter avec des jeunes filles si mignonnes. Alors, je suis heureuse.

— Mignonnes, elles ?

— Oui. Je n'ai pas pu devenir professeur, mais j'ai l'impression de goûter maintenant à une petite portion de ce bonheur. Merci de m'avoir laissée les rencontrer.

— Non, je vous en prie. C'est vous qui m'aidez. »

Tout en frottant à la brosse les traces de brûlé sur la plaque chauffante, Sentarô invoqua Wakana : viens bientôt nous rendre visite !

12

Les grandes vacances s'achevèrent, et les jeunes filles qui se rassemblaient chez Doraharu remirent leur uniforme. Tant que le soleil brillait, il faisait encore parfois lourd, mais à l'approche du coucher du soleil, la fraîcheur dominait. Lorsque le cerisier frémissait, les feuilles d'un vert un peu passé tombaient une à une devant la boutique.

Ce jour-là, après avoir terminé le ménage dans la boutique, Sentarô ramassait les feuilles accumulées dans la rainure du rideau de fer. Derrière lui une voix l'interpella.

« Ah, c'est vous, madame.

— Désolée de venir si tard. »

En guidant sa patronne vers un siège au comptoir, Sentarô réfléchit rapidement.

Ils se voyaient toutes les semaines pour vérifier les comptes et les virements. Parfois, c'était à la boutique, d'autres fois Sentarô faisait le déplacement jusqu'au domicile du défunt patron. Mais dans tous les cas, c'était après être convenu d'un rendez-vous. Contre toute attente, la propriétaire était très occupée, elle se rendait chaque jour à l'hôpital. Sentarô, qui travaillait sans relâche, n'était pas disponible à toute heure non plus. Les questions comptables étaient en principe abordées lorsqu'il n'y avait pas de clients, c'est-à-dire après la fermeture.

Ce système implicite de rendez-vous arrangeait Sentarô. Quand la propriétaire venait, elle téléphonait toujours la veille. Cela laissait à Sentarô le temps de faire le ménage et les comptes. Et surtout, il pouvait ainsi éviter une rencontre entre elle et Tokue Yoshii.

Alors pourquoi, soudain… Sentarô eut un mauvais pressentiment. Quelques instants plus tôt, Tokue était encore en train de faire la vaisselle. Si la propriétaire était arrivée une heure plus tôt, elles se seraient retrouvées nez à nez.

Elle appuya sa canne contre le comptoir et désigna les tasses : « Vous me servez un thé ? » Sentarô posa la bouilloire sur la gazinière.

« Désolée de vous déranger en plein travail.

— Non, je vous en prie. Que se passe-t-il ? »

La propriétaire, sur son siège, examinait la boutique d'un œil inquisiteur ; elle adopta soudain un air pincé et fixa Sentarô.

— Eh bien, c'est une rumeur, mais… la personne qui travaille ici…

— Ah, Mme Yoshii.

— Elle s'appelle Yoshii ? »

Ses craintes avaient fini par se réaliser. Sentarô se détourna et posa la main sur la poignée de la bouilloire.

« Je tiens ça d'une de mes connaissances. Cette femme, elle aurait un handicap aux doigts ? »

Sentarô ferma les yeux un instant.

« Ah, oui, un petit peu… et alors ?

— Et aussi une paralysie du visage, paraît-il ? »

Sentarô secoua la tête comme pour dire, alors ça, aucune idée.

« D'après cette connaissance… Désolée, mais, même si ce n'est qu'une rumeur, c'est gênant pour cette vieille femme… Ça pourrait être la lèpre.

— La lèpre ?

— Maintenant, on appelle ça la maladie de Hansen. »

La maladie de Hansen…

Sentarô fit rouler ce mot dans sa bouche, et il sentit le sang subitement refluer de son visage.

« Alors, cela m'a inquiétée. Je suis venue il y a une heure et, pour tout dire, j'ai observé l'intérieur de la boutique depuis la rue.

— Au lieu de vous compliquer la vie, vous auriez mieux fait d'entrer normalement, non ? Comme ça, vous auriez pu rencontrer Mme Yoshii. »

La propriétaire hocha la tête, mais le regard qu'elle posait sur Sentarô se durcit.

« Mais cela vous aurait embarrassé. Puisque, jusqu'à présent, vous vous êtes débrouillé pour me la cacher.

— Comment ? Mais non, qu'est-ce que vous racontez ? »

L'eau frémissante faisait vibrer la poignée de la bouilloire dans la main de Sentarô. Mais dans son corps, d'autres trépidations prenaient le dessus.

« Et alors, je n'ai pas bien vu, mais, en effet, il m'a semblé que ses doigts étaient un peu bizarres.

— Mais ce n'est pas si gênant que cela.

— Oui, mais ça dérange la clientèle. C'est mauvais, pour un commerce.

— Hum…

— Si vous savez quelque chose, dites-le-moi.

— Non, je ne sais rien de particulier… Quoi qu'il en soit, grâce à la pâte de haricots confits de Mme Yoshii, la boutique renaît. Cela fait cinquante ans qu'elle en confectionne, cette femme. »

Sans attendre que l'eau bouille vraiment, Sentarô remplit la théière.

« Les enfants l'aiment bien aussi.

— Ah oui. Elle travaille certainement bien, mais…

— Exactement. Ça n'a rien de facile.

— Quel âge a-t-elle ? »

Sentarô répondit en remplissant une tasse de thé.

« Autour de soixante-quinze ans. Elle est en forme, pour son âge, dit-il en lâchant un petit rire.

— Elle a à peu près mon âge. »

La propriétaire prit la tasse de thé et poussa un petit cri, « Ah !

— Qu'y a-t-il ?

— Elle s'est servie de cette tasse ? »

Sentarô hocha la tête.

« On dit que les cas de contagion sont rares, mais… ça ne va pas du tout, Sentarô. Un établissement de bouche qui emploie une lépreuse, si ça venait à se savoir !

— Mais… ses mains, ce sont les séquelles d'une maladie qui date de sa jeunesse, elle est guérie depuis longtemps, m'a-t-elle dit.

— Évidemment que c'est ce qu'elle dit. Sentarô, vous êtes au courant ? Avec la lèpre, les gens gravement atteints perdent leurs doigts.

— Madame Yoshii a tous ses doigts.

— Où habite-t-elle, cette femme ? »

Pour tenter de calmer son émoi, Sentarô se retourna et posa une main sur sa poitrine. Le carnet dans lequel Tokue avait noté ses coordonnées était rangé sur l'étagère de l'arrière-boutique. Il alla le chercher et l'ouvrit avant de le tendre à la propriétaire.

Celle-ci ferma les yeux, silencieuse.

« Qu'y a-t-il ? »

Bien qu'il n'y ait eu personne alentour, elle parla à voix basse :

« C'est là que les lépreux sont isolés. Là où se trouve le sanatorium. »

Sentarô s'appuya des deux mains sur le plan de travail. En silence, il regardait les caractères tracés par Tokue.

C'était ça. C'était ça, pensa-t-il.

La première fois qu'il avait vu son adresse, elle lui disait quelque chose, en effet. Sur le coup, il n'avait pas fait le lien. Mais à présent, il comprenait : c'était dans ce quartier que se trouvait le sanatorium dont il avait plusieurs fois entendu parler.

« Cette écriture tortueuse…

— Mais non… je vous dis qu'elle est guérie.

— Je ne sais pas ce qu'il en est aujourd'hui, Sentarô. Mais autrefois, avec cette maladie, on était cloîtré à vie. J'en ai vu des lépreux, quand j'étais petite. Dans l'enceinte des temples, par exemple. Certains avaient un visage terrible. On aurait dit des monstres. Là où ils passaient, les services sanitaires venaient tout désinfecter.

— Mais, patronne… »

Il saisit la tasse qu'elle lui avait rendue et alla la déposer dans l'évier.

« Je me permets d'insister, mais si la boutique marche enfin, c'est grâce à Mme Yoshii. Parce qu'elle vient tôt le matin pour préparer les haricots. »

La propriétaire lança un bref coup d'œil à la bassine en cuivre sur la gazinière et au saladier de haricots *azuki* mis à tremper.

« Je le sais bien. Mais si, par exemple, la personne qui m'a avertie en parle autour d'elle, la boutique est fichue, non ? Si jamais il y avait un nouveau malade de la lèpre dans les environs, et que l'infection venait d'ici…

— Qui a vendu la mèche ?

— Non, ça, je ne peux pas vous le dire. »

La propriétaire se tut et scruta le visage de Sentarô.

« Sentarô. Et vous, qui passez votre temps avec elle ? Vous aussi, vous risquez d'être contaminé. »

Sentarô ne put que cligner des yeux ; il tourna les yeux vers les haricots mis à tremper.

« Bref… Mme Yoshii, c'est bien son nom ? »

La propriétaire poursuivit sur un ton péremptoire :

« Dédommagez-la généreusement s'il le faut, mais qu'elle parte. Soit elle démissionne, soit la boutique périclite.

— Mais, dans ce cas, comment faire pour la pâte de haricots ?

— Vous n'avez qu'à vous en occuper. Puisque vous avez travaillé avec elle, vous devriez pouvoir vous en sortir, non ? »

Y arriverait-il ? Sentarô n'en était pas certain. L'attitude de Tokue envers les haricots *azuki* continuait à le surprendre. La différence entre eux était radicale.

« Eh bien ? Vous n'en êtes pas capable ?

— Si, là n'est pas le problème.

— Qu'est-ce que c'est, alors ?

— Mme Yoshii et moi, nous avons tant bien que mal réussi à faire marcher la boutique ensemble. Maintenant, il y a même parfois la queue. Il y a aussi des jeunes qui comptent sur sa présence. Et vous voulez que je la vire ?

— Je ne vous le demande pas de gaieté de cœur. Mais on n'a pas le choix, puisqu'il s'agit d'une maladie contagieuse. D'une maladie terrible, en plus. Et il y a déjà des gens qui s'en sont rendu compte. »

Elle n'en démordait pas. Sentarô ne lui opposa pas un refus net, mais il n'oublia pas d'ajouter : « Laissez-moi un peu de temps, s'il vous plaît. »

La propriétaire se rembrunit et se fit plus pressante.

« Vous deviez m'appeler pour les entretiens d'embauche, c'était convenu. »

Puis elle désigna un coin de la cuisine et dit : « Passez-moi ça, là-bas », avec un mouvement du menton. C'était le spray antiseptique pour la cuisine.

Sentarô le lui tendit et elle s'en aspergea les mains. De fines gouttelettes d'alcool flottèrent dans l'air, dérivèrent jusqu'aux haricots *azuki* mis à tremper par Tokue.

« Vous savez, je vous comprends, Sentarô. J'aimerais mieux ne pas avoir à vous demander ça. Mais il faut savoir consentir à des sacrifices. Parce que c'est à vous que mon mari a confié la boutique. C'est vous le gérant. Vous ne pouvez pas vous permettre d'être sentimental, il faut faire preuve de fermeté. Et puis, vous avez encore des dettes. »

Sentarô, sans acquiescer, baissa lentement les yeux. Et il ne releva pas la tête avant que la propriétaire soit partie.

Cette nuit-là, il ne trouva pas le sommeil.

Pour une fois, il s'était couché sans avoir bu, et il restait à contempler le plafond plongé dans la pénombre. Au bout d'un moment, il réalisa qu'il ne savait rien de la maladie de Hansen.

Puisque de toute façon, il n'arrivait pas à dormir, il rejeta la couette et alluma la lampe sur le bureau fixé au mur où trônait un ordinateur couvert de poussière. Sentarô mit en marche pour la première fois depuis longtemps ce modèle ancien et se connecta à Internet ; il utilisait encore une ligne analogique, il ne l'avait pas fait changer. Sur un moteur de recherche, il tapa « maladie de Hansen ».

Une longue liste de résultats s'afficha à l'écran. Sentarô ne savait pas par où commencer. Il n'avait pas spécialement envie de voir d'horribles photographies de patients. Mais s'il tergiversait, il ne s'y mettrait jamais. Il examina d'abord les résultats, dans l'ordre. Le contenu semblait varié. Explications historiques sur la maladie, exposés médicaux, lutte des anciens malades qui avaient obtenu l'abolition de la loi sur la prévention de la lèpre, réactions diverses à cette victoire, articles de presse faisant le point sur la question, pages correspondantes du ministère de la Santé et du Travail, etc.

Sentarô choisit quelques sites parmi lesquels il piocha. Tous les articles se corsaient lorsque apparaissaient des termes médicaux, mais en lisant en diagonale les parties les plus accessibles, il apprit à peu près tout ce qu'il souhaitait savoir.

D'abord, toutes les personnes vivant dans les sanatoriums du Japon étaient guéries. Il n'y avait pas de malades. Même si, par hasard, on contractait la maladie, les traitements actuels permettaient une guérison immédiate et totale, sans qu'aucun foyer d'infection ne se forme. Pour commencer, la maladie était très peu contagieuse et, par le passé, aucun membre du personnel médical au Japon n'avait été contaminé. Seulement, à une époque où les conditions d'hygiène étaient mauvaises et où aucun traitement n'existait, elle avait été considérée comme incurable et les patients confinés selon la loi. Par ailleurs, à cause des séquelles, notamment la perte des extrémités, les lépreux avaient également été l'objet de discriminations. Mais ces symptômes concernaient les malades longtemps abandonnés à eux-mêmes ; avec un traitement adéquat, aucun stigmate ne subsistait.

Sentarô referma l'ordinateur. Il avait certes vu des photographies pénibles à regarder, mais en ce qui concernait Tokue, il se sentait plus léger.

Elle n'était pas contagieuse.

Les sanatoriums existaient encore, mais il n'y avait plus de patients porteurs de la maladie.

Même si, comme l'avait souligné la propriétaire, Tokue avait autrefois contracté la lèpre, il pouvait confirmer que cela ne posait plus aucun problème aujourd'hui. D'autant plus que Tokue avait parlé d'« une maladie quand elle était jeune ». De longues années s'étaient écoulées depuis sa guérison.

Il n'était pas nécessaire de la renvoyer. Sentarô en était convaincu.

Alors, que devait-il faire ?

Imprimer quelques articles d'Internet pour les montrer à la propriétaire ? C'était un mal quasi éradiqué au Japon. Tokue, complètement guérie depuis plusieurs dizaines d'années, n'était en aucun cas une source d'infection. Devait-il le lui expliquer ?

Mais Sentarô était loin d'être certain que cette attaque frontale serait concluante. Bien que cette maladie ne soit plus à craindre d'un point de vue médical, les doigts de Tokue ne guériraient pas pour autant. C'était cela qui dérangeait les gens. Cela ne suffirait sûrement pas à faire changer d'avis la propriétaire.

Dans ce cas, comment procéder ?

Tokue pouvait quitter la boutique, dans un premier temps. C'était une possibilité, réalisa Sentarô. Le mot vacataire était ronflant, mais, une fois qu'elle aurait démissionné, elle pourrait revenir à sa convenance pour lui apprendre à confectionner la pâte de haricots. Que valait cette solution ? Sentarô pourrait donner le change à la propriétaire et, pendant ce temps, il n'aurait qu'à s'efforcer de se hisser au niveau de Tokue.

Mais, à force d'y penser, ce plan-là aussi lui déplaisait. Même s'il s'agissait uniquement d'un licenciement pour la forme, quelles raisons avancer ? Il ne voyait pas comment justifier son geste. Et puis il cherchait lui-même à quitter cet endroit. Devait-il s'accrocher à cette idée, jusqu'à surmonter le problème ?

Sans parvenir à mettre de l'ordre dans ses idées, il continua à fixer le plafond dans l'obscurité.

13

Au bout du compte, Sentarô ne parvint à prendre aucune décision.

Il continua à officier derrière la plaque chauffante sans avoir décidé ni du sort de Tokue, ni de l'avenir de la boutique. Il n'en toucha pas un mot à Tokue, pas plus qu'il ne changea d'attitude. Il garda pour lui seul tant sa conversation avec la propriétaire que ses recherches internet sur la maladie de Hansen.

Mais cela ne le libéra pas de l'inquiétude sourde qui lui donnait mal à l'estomac. La propriétaire viendrait enfoncer le clou. Ce n'était qu'une question de temps. Ce jour-là, avec quels mots la convaincre ?

Quelle plaie ! Et s'il démissionnait en même temps ?

Allait-il baisser les bras ? C'était envisageable. Mais alors il revit le visage anguleux de l'ancien patron.

« Je m'occupe de l'argent, tu m'aideras à la boutique. »

À sa sortie de prison, Sentarô travaillait dans un pub quand l'ancien patron avait surgi de la salle et lui avait fait cette proposition.

Si Sentarô s'était retrouvé derrière les barreaux, ce pourquoi il avait été inculpé avait trait à la législation sur le cannabis. C'était certes sa première condamnation, mais il avait été impliqué dans la revente. Bien qu'il n'ait pas été le principal coupable, il avait été en cheville avec les yakuzas. Il avait touché une part non négligeable des recettes. De ce fait, aucun sursis ne lui avait été accordé. Pendant deux années entières, il avait contemplé un mur. Seulement, au cours des interrogatoires rigoureux qui avaient précédé, Sentarô avait, jusqu'à la fin, gardé pour lui certains noms.

L'un d'entre eux était celui de l'ancien patron.

C'était une grande gueule, tout à fait du genre à se flatter de ses relations avec les yakuzas, mais, pour Sentarô, ce type avait malgré tout su garder une certaine humanité.

« Tu m'as bien protégé. »

Le soir où Sentarô avait accepté de l'aider chez Doraharu, ils avaient eu beau se trouver en pleine rue, le patron avait pleuré à chaudes larmes devant lui. Et ils s'étaient soûlés ensemble jusqu'au petit matin.

C'est à cause de la boisson que le patron avait contracté une cirrhose. Son teint était celui des *dorayaki* qu'il faisait cuire. Pour finir, il choisissait une paire de chaussures pour se rendre à l'hôpital quand il s'était mis à vomir du sang, et il était mort sur-le-champ. Rupture d'anévrisme. C'était arrivé durant la troisième année de Sentarô chez Doraharu.

Après les funérailles, la propriétaire l'avait supplié. Continuez à tenir la boutique, s'il vous plaît. Mon mari m'avait demandé de vous en confier la gérance s'il lui arrivait quelque chose. Elle l'en avait prié d'une voix mêlée de sanglots, les deux mains sur les tatamis, profondément inclinée devant lui.

Sans le moindre doute, ce couple l'avait sauvé d'une existence précaire après sa sortie de prison. Tout compte fait, il n'était pas question de démissionner avant d'avoir totalement remboursé sa dette. Sentarô en avait parfaitement conscience.

Ah... Il poussa un soupir en direction de la plaque chauffante.

S'il prenait parti pour l'une, il faisait du tort à l'autre. S'il aidait la seconde, il portait préjudice à la première. Pour commencer, c'était lui qui ne valait pas grand-chose.

Il était complètement coincé.

Perdu, Sentarô faisait cuire ses petits pancakes. Les fourrait de pâte de haricots. Affichait un sourire de façade pour les clients. Et puis, comme le défunt patron, il se soûlait tous les soirs.

Les jours passèrent sans qu'il puisse se résoudre à quoi que ce soit.

Arriva la saison où la ville disparaissait sous une bruine continuelle. Dans la rue les passants, un parapluie à la main, portaient maintenant un cardigan ou un blouson. Le cerisier devant la boutique perdait ses feuilles légèrement mordorées.

Le changement se manifesta d'un coup. Et quand Sentarô s'en aperçut, la situation était déjà grave.

C'est après avoir longuement fixé ensemble le livre de comptes, l'air soucieux, que Sentarô murmura à Tokue : Vous croyez que c'est à cause des pluies d'automne ? Il fallait revoir la quantité de haricots.

Ce n'était même pas ça, il y avait un stock conséquent de *an* au congélateur. Ce n'était pas la peine d'en préparer du frais.

Pour une raison qui lui échappait, le chiffre d'affaires de la semaine écoulée n'était pas bon. Les trois derniers jours, en particulier, avaient été désastreux.

À travers la vitre coulissante, Tokue regarda le ciel plombé, puis la rue.

« Si seulement il pouvait faire un peu meilleur.

— Avec ce temps, personne n'a le moral. »

Si Sentarô chercha à clore la conversation par cette formule, c'était peut-être pour faire taire son inquiétude.

Parce que la dégringolade des ventes était nette. À mesure que les jours raccourcissaient, la recette se réduisait comme peau de chagrin.

« Quand il arrêtera de pleuvoir, on sera de nouveau débordés.

— S'il fait beau, oui. »

Mais en son for intérieur, Sentarô était préoccupé. Parce que quand il repensait au monde qu'ils avaient eu durant la saison des pluies, il était loin d'être convaincu par leur explication. À ce moment-là, malgré la chaleur et l'humidité, ils avaient réussi à faire progresser le chiffre d'affaires. Les clients faisaient la queue même les jours de pluie, formant un chapelet de parapluies. Alors, que se passait-il ? D'habitude, la saison des *dorayaki* débutait maintenant, lorsqu'il commençait à faire frais.

D'un autre côté, la crise économique lui donnait aussi matière à réflexion. La rue était déjà constellée de rideaux de fer baissés. Rien que la semaine dernière, le poissonnier, qui avait résisté de longues années, avait fini par fermer. La rue était de plus en plus déserte. Avec le front pluvieux bien installé et un ciel quotidiennement couleur de plomb, tout le monde avait le cafard. Cela ne donnait sûrement pas envie de faire des achats.

« C'est vrai, ça, moi non plus je n'ai rien acheté depuis un moment… »

Tokue, qui regardait dehors d'un air absent, se retourna, l'air perplexe.

« Madame Yoshii, vous avez fait des courses, ces derniers temps ? »

Tokue ne semblait pas saisir où il voulait en venir.

« Des courses ?, répéta-t-elle.

— Oui. Parce que je me disais, la boutique ne marche pas… Mais, à la réflexion, moi non plus, je n'achète rien. »

Un éclair de compréhension traversa le visage de Tokue qui hocha la tête. Mais elle murmura : « Moi, des courses ? » et elle s'éloigna de la vitre en tournant le dos à Sentarô, puis regagna l'arrière-boutique.

Ce soir-là, la propriétaire débarqua. Après le départ de Tokue.

Assise au comptoir, elle examinait le livre de comptes, taciturne ; elle se redressa et poussa un gros soupir.

« Sentarô ! »

Dans la cuisine, Sentarô se redressa aussi.

« Je vous avais demandé de vite la renvoyer, n'est-ce pas ? »

Raide comme un piquet, il hocha la tête.

« Je suis venue à plusieurs reprises dans le quartier. C'est ma boutique, mais je ne me suis pas montrée. Pour ne pas vous faire perdre la face. Mais elle est toujours là. Cette Mme Yoshii, elle travaille encore ici, n'est-ce pas ?

— Oui mais, en ce qui concerne vos préoccupations... Il n'y a pas de problème avec Mme Yoshii. Elle est guérie.

— Si elle est guérie, pourquoi vit-elle dans un sanatorium ? Pourquoi ne faites-vous rien ?

— Eh bien, c'est-à-dire que...

— Vous lui avez posé la question ? »

Sentarô bafouilla quelques mots.

« Comment ça ? Ne me dites pas que vous ne lui avez pas encore demandé ! Vous ne vous êtes pas assuré que c'était bien la lèpre ?

— Non...

— Mais qu'est-ce que vous fabriquez ? »

Sa voix stridente fit vibrer l'air dans la boutique.

« Madame, attendez un peu, s'il vous plaît.

— Attendre quoi ? J'ai déjà sacrément attendu.

— Euh, autrefois, Mme Yoshii a peut-être eu cette maladie, la maladie de Hansen... Mais maintenant elle est guérie, elle est comme tout le monde.

— Elle n'est certainement pas comme tout le monde. Puisqu'elle a les doigts tordus.

— C'est une maladie quasiment éradiquée au Japon. Il n'y a plus de malades dans les sanatoriums.

— C'est quoi, ces salades ? Quel baratin ! Vous n'êtes pas médecin, que je sache ?

— Alors vous voulez que je vire quelqu'un qui n'est pas malade parce qu'il l'a été dans le passé ?

— Ici, c'est un établissement de bouche ! C'est une question d'image. Vous vous imaginez qu'on peut garder quelqu'un qui effraie la clientèle ? »

La propriétaire passa une main sur son visage devenu tout rouge.

« Désolée de le souligner, mais jusqu'à présent, vous avez en quelque sorte vécu grâce à ma boutique. Qui est-ce qui vous a aidé, quand vous étiez dans le pétrin ? Sentarô, vous n'imaginez quand même pas que la boutique vous appartient ? Si vous ne virez pas cette personne, je serai contrainte de me séparer de vous. Vous en avez conscience ?

— Mais…

— Ici, c'est la boutique ouverte par mon mari. La propriétaire, c'est moi.

— Madame…

— Je sais. Vous aussi, vous êtes dans une situation délicate. Mais c'est quoi, ce chiffre d'affaires ? Pourquoi est-ce que c'est précisément maintenant que les ventes s'effondrent ? Vous ne croyez pas que la rumeur s'est répandue qu'une malade travaille ici ? Si c'est le cas, la boutique est foutue.

— Non. Si c'était ça, j'en aurais sans doute entendu parler aussi. Madame, c'est sûrement à cause de cette pluie qui n'en finit pas. En plus de la crise, s'il pleut sans arrêt…

— Peu importe, faites en sorte qu'elle parte. »

La propriétaire prit une brusque inspiration et pinça les lèvres. Puis elle garda longuement le silence. Elle semblait attendre la réponse de Sentarô. Mais comme celui-ci ne dit rien, elle perdit patience. « Je compte sur vous », assena-t-elle, puis elle quitta la boutique.

14

Sous le cerisier, des grillons crissaient. Les pas, dans la rue, rendaient un son clair.

C'était une paisible soirée d'automne ; on voyait les étoiles pour la première fois depuis longtemps.

Le feu sous la plaque chauffante était déjà éteint, mais le front de Sentarô luisait de sueur.

« Vous n'avez pas changé d'avis ? »

Tokue, assise sur une chaise, secoua la tête.

« Non. J'ai pris ma décision. De toute façon, je commence à fatiguer.

— Dans ce cas, venez par exemple une ou deux fois par mois, s'il vous plaît.

— Non…

— Vous ne m'avez pas encore tout appris. »

De l'autre côté du rideau de fer à demi baissé, des voix s'élevèrent, sans doute des lycéennes de retour de leur club scolaire.

« Tu crois pas que c'est fermé ? Laisse tomber. »

Des jambes dépassant d'une jupe courte apparurent sous le rideau. Sentarô lança : « C'est fini pour aujourd'hui, désolé. »

Pfft, c'est nul… Les pas juvéniles s'éloignèrent.

« Ça, c'est les filles du club de tennis. »

Le regard de Tokue pétilla brièvement. Mais elle baissa immédiatement la tête. Ses mains croisées reposaient sur le tablier posé sur ses genoux.

« Elles pensent comme moi, elles aussi. Il faudra venir nous rendre visite de temps en temps. »

Tokue secoua la tête.

« Pourquoi, madame Yoshii ?

— Sans doute que si, ces derniers temps, on ne vend plus rien… C'est à cause de ce qui m'est arrivé autrefois.

— Ce n'est pas sûr…

— Je pense que si.

— On n'en sait rien.

— Ça fait pourtant plus de quarante ans que je suis guérie. »

Dans ce cas, ne parlez pas de démissionner. Voilà ce que Sentarô voulait lui dire, ce qu'il aurait dû lui dire, pensa-t-il. Mais les mots ne franchirent pas ses lèvres. Le visage de la propriétaire lui traversa l'esprit.

Tokue lança un regard compatissant à Sentarô, muré dans son silence.

« Ce n'est pas grave, patron.

— C'est que, je ne suis pas libre de mes décisions. Mais j'ai une part de responsabilité. »

Tokue prit le tablier sur ses genoux, saisit l'ourlet de ses doigts déformés.

« Responsable de quoi ?

— Madame Yoshii !

— Oui.

— Je ne devrais pas vous poser une question aussi directe, mais, votre maladie… c'est la maladie de Hansen ?

— Oui. Moi aussi, je me disais qu'il faudrait mettre les choses au clair, un jour. »

Ah…, soupira Sentarô, mais il n'ajouta rien.

« Une fois ce diagnostic posé, votre vie était finie. Autrefois, c'était comme ça avec ce genre de maladie. »

Sentarô regardait les doigts de Tokue, entre lesquels était toujours emprisonné le tablier.

« On disait même que c'était un châtiment divin. Certains racontaient que c'était parce qu'on avait été mauvais dans une vie antérieure. Il suffisait d'un seul cas pour que la police et les services sanitaires débarquent, ils désinfectaient tout de fond en comble. Les familles qui comptaient un malade en leur sein passaient un sale quart d'heure, elles aussi. C'était une honte terrible.

— Mais vous avez guéri, madame Yoshii, n'est-ce pas ? »

Tokue hocha vigoureusement la tête.

« Un traitement miracle est arrivé des États-Unis. Mais certaines personnes ont gardé des séquelles, comme moi avec mes mains.

— Je me suis un peu renseigné. Le confinement était vraiment… total ?

— Ah bon, vous vous êtes renseigné ? »

Tokue haussa un sourcil, un seul.

« Euh oui, sur Internet…

— Voyez-vous cela. C'était ce qu'on appelait l'isolement complet. Impossible de quitter ce périmètre de toute sa vie. Cette loi a été abrogée il n'y a pas si longtemps que ça, vous savez.

— Désolé d'insister, mais vous n'êtes plus…

— Cela fait quarante ans que j'ai été déclarée saine, je vous l'assure. Mais je n'avais pas le droit de sortir en ville comme aujourd'hui. Quand la maladie s'est déclarée, je n'étais encore que… »

Sur ces mots, Tokue se tut. Puis elle souleva le tablier, avec lequel elle se tamponna le coin des yeux.

« Pardon, madame Yoshii.

— J'avais à peine l'âge des jeunes filles qui viennent ici… »

Sentarô, incapable de poser le regard ne serait-ce que sur les genoux de Tokue, baissa la tête vers le sol de la cuisine.

« Madame Yoshii…

— Après, je suis restée enfermée tout le temps.

— Toujours au sanatorium ?

— Oui. Au Tenshôen. »

C'était bien le nom de l'établissement dont Sentarô avait entendu parler. Il avait une vague idée de son emplacement, bien qu'il ne s'en soit jamais approché.

« Ce n'est pas tout près. Aux heures où les bus ne circulent pas, comment avez-vous fait ?

— Ne vous en faites pas, patron…

— Ne me dites pas que vous preniez un taxi ?

— Laissez tomber, je vous dis. »

Tokue afficha un pâle sourire.

« Un taxi… avec ce que je vous paie de l'heure. Je suis désolé.

— Laissez. C'était tellement agréable.

— Quand même…

— Non, vraiment. Parce qu'autrefois, j'étais persuadée que, de toute ma vie, je ne pourrais pas sortir.

Et pourtant, j'ai pu venir librement ici. Rencontrer plein de gens. Parce que vous m'avez embauchée. »

Sentarô secoua précipitamment la tête.

« C'est vous qui m'avez aidé.

— Qu'est-ce que vous racontez ? D'abord, je suis une vieille femme. Et puis, regardez dans quel état sont mes mains. Mon visage aussi est partiellement paralysé. Mais vous m'avez embauchée quand même. Et vous m'avez aussi laissée m'occuper de la clientèle, de ces jeunes filles mignonnes. J'ai toujours rêvé de faire ce genre de travail. Alors, je suis comblée. De toute façon, j'avais justement l'intention de vous demander de me laisser partir. Ces derniers temps, je commençais à fatiguer, quand même. Ça tombe bien. »

Tokue s'essuya à plusieurs reprises les yeux avec son tablier et inclina très bas sa tête aux cheveux blancs.

« Merci.

— Je vous en prie, c'est moi qui vous remercie.

— Allez, j'y vais. »

De sa chaise, elle balaya du regard l'intérieur de la boutique, ses yeux s'attardèrent un instant sur l'assiette de pancakes ratés. Puis elle replia son tablier, le posa sur le plan de travail, rangea son fichu dans son sac et se leva.

« Dites bonjour de ma part à Wakana, et aux petites.

— Si elle vient, je transmettrai. »

Tokue ouvrit la porte de service et sortit.

Sentarô se glissa à ses côtés, comme pour l'escorter. Dans la rue, sous la lueur diffuse de l'éclairage public, se découpait le cerisier qui perdait ses feuilles.

« La première fois que je suis venue, il était fleuri, mais maintenant, il paraît bien triste.

— Le vent s'est rafraîchi, aussi.

— Verrai-je les cerisiers en fleur, l'année prochaine ?

— Bien sûr que oui. J'ai encore tant à apprendre de vous, madame Yoshii. »

Sans répondre, Tokue sourit et répéta à plusieurs reprises :

« Merci beaucoup.

— Merci à vous aussi. »

D'un geste, elle arrêta Sentarô qui semblait s'apprêter à la suivre.

« Quittons-nous ici. »

En silence, il la suivit du regard qui s'éloignait dans la rue sombre. Elle était donc si petite que ça ? se demanda-t-il pour la première fois en regardant sa silhouette de dos. C'était elle qui avait parlé de démissionner la première. Sentarô s'était borné à accepter. Et pourtant, il se sentait comme s'il venait de chasser sa propre mère.

Le visage toujours défait, il regagna la cuisine.

La bouteille de spray antiseptique était posée à l'extrémité du comptoir. Sentarô fondit sur elle, s'en empara et la jeta contre le rideau de fer.

15

On avança encore un peu dans la saison.

Même en balayant matin et soir, les feuilles du cerisier s'amoncelaient devant la boutique. On distinguait désormais nettement ses branches nues. Les gens passaient leur chemin. Sentarô contemplait ce spectacle d'un œil morne, la tête alourdie par la gueule de bois.

Ces derniers temps, il buvait davantage. Il poussait la porte de bars où il n'avait jamais mis les pieds. Il ne provoquait pas d'esclandre, mais s'agrippait à son verre jusqu'à tituber. Évidemment, le réveil n'avait rien d'agréable. On aurait dit que les pensées qui le taraudaient l'accompagnaient au lit, l'écrasaient.

Au bout d'un moment, il n'arriva plus à débuter à l'heure la préparation de la pâte. Six heures devinrent sept, puis huit, puis neuf heures. Certains jours, il partait même pour la boutique à l'approche de midi.

Rien ne laissait espérer le retour de la clientèle. Jusqu'au cerisier qui semblait prendre ses distances avec la boutique, la rue entière le repoussait, s'imaginait Sentarô.

« L'autre jour, les *dorayaki* avaient un goût de brûlé. »

Parmi les clients qui lui étaient restés fidèles, certains n'hésitaient pas à rouspéter.

C'était peut-être lui qu'il fallait jeter, mettre à la poubelle avec les encombrants, plutôt que les *dorayaki* ratés. Peut-être y arriverait-il, sous l'effet d'une impulsion soudaine. Il y songeait parfois. Sans agir pour autant. Rien ne le motivait suffisamment. Il se contentait de sombrer, bougeant seulement les yeux pour épier le monde qui l'entourait.

Un soir où le vent secouait les branches du cerisier, Wakana revint, pour la première fois depuis longtemps. Sentarô s'apprêtait à fermer la boutique et venait d'éteindre la plaque chauffante.

Wakana, vêtue d'une veste trois quarts, portait un paquet tellement volumineux que son buste disparaissait derrière : une sorte de boîte, enveloppée dans une étoffe vert pâle. Après avoir brièvement salué Sentarô, elle la posa sur un siège du comptoir.

« C'est quoi, ce truc ?

— Euh…

— La boutique est fermée ! »

Wakana hocha la tête, sans faire mine de repartir. Sentarô saisit un *dorayaki* dans la vitrine chauffante et le lui tendit.

« Ne reste pas plantée là, assieds-toi.

— Pardon. »

La voix de Wakana était un murmure.

« Euh… Mme Yoshii n'est pas là, n'est-ce pas ?

— Non. »

Wakana baissa les yeux sur le *dorayaki*, puis elle regarda Sentarô.

« Qu'est-ce qu'il y a ?

— Euh… c'est embarrassant, mais… je n'ai pas d'argent.

— Qu'est-ce que tu racontes ? répliqua Sentarô dans un rire. Ça ne fait rien. Puisque la boutique est fermée.

— Merci. »

Wakana s'inclina, se soulevant légèrement de son siège, et saisit le *dorayaki* des deux mains. Sentarô en déposa un autre dans son assiette.

« C'est quoi, ce paquet ? »

Wakana, qui s'apprêtait à mordre dans le *dorayaki*, rentra alors la tête dans les épaules.

« Justement.

— Comment ça, justement ?

— C'est justement ça, le problème… J'ai fait une fugue.

— Une fugue ? »

Wakana acquiesça. Puis elle tendit la main vers le paquet posé à côté d'elle.

— Ça, c'est un rideau. »

L'étoffe retirée dévoila une cage à oiseaux. Du jaune vif remua.

« Il n'a nulle part où aller.

— C'est un canari ?

— Il s'appelle Marvy. Je crois que c'est un serin à poitrine citron. Et je suis venue vous demander un service. »

Il ne manquait plus que ça. Instinctivement, Sentarô se racla la gorge.

« Ça fait longtemps que tu n'es pas venue, alors, un service…

— Eh bien, c'est une promesse entre Mme Yoshii et moi.

— Comment ça ? »

Wakana jeta un coup d'œil à la cage et fit entendre un « euh… » hésitant.

« Ne me dis pas que je vais devoir…

— Je crois qu'il a été attaqué par un chat. C'était déjà il y a environ six mois, Marvy était en sang, il se tordait par terre dans tous les sens. Je pensais qu'il ne s'en sortirait pas, mais comme je ne pouvais pas le laisser là, je l'ai ramené chez moi. Et alors, il a guéri. Tous les jours, je lui étalais de la pommade sur ses blessures. Je me disais que de toute façon, il allait mourir, mais il a guéri.

— Tant mieux. »

Mais… Wakana montra la cage.

« Marvy, c'est un mâle. Du coup, une fois guéri, il s'est mis à chanter de temps en temps. Et ça, ça craint.

— Pourquoi ?

— Parce que chez moi, c'est un appartement, et les animaux sont interdits. Ma mère m'a ordonné de le libérer avant que les voisins n'aillent cafarder chez le proprio. Mais on dirait que son aile s'est figée quand il a eu son accident, et Marvy, il ne vole pas très bien. Je l'ai laissé en liberté à l'intérieur pour voir, il volette un peu et puis il tombe. Mais ma mère ne me lâche pas, depuis cet été, elle me tanne tous les jours, relâche-le, relâche-le. Les températures vont continuer à baisser, n'est-ce pas ? Le temps va être de plus en plus rigoureux. Je n'imagine pas qu'un canari puisse survivre dehors. En plus, comme il ne vole pas très bien, je pense qu'il va de nouveau se faire attaquer par un chat ou un corbeau. Le libérer en sachant cela, je trouve que… »

Sentarô ouvrit le robinet et remplit un verre d'eau qu'il but à petites gorgées. Elle lui faisait l'effet d'une potion amère.

« Et ce service, alors ?

— En fait, j'avais eu le pressentiment que c'est comme ça que les choses se passeraient, et j'en avais parlé à Mme Yoshii. Ici même.

— Ici ?

— Oui. Euh… Quand vous avez pris du repos à cause de votre déprime.

— De ma déprime ?

— Ce sont les mots de Mme Yoshii. »

C'était vers la fin de la saison des pluies, la fois où il avait disparu. Sentarô se passa une main sur le front.

« Et qu'est-ce qu'elle a dit, Mme Yoshii ?

— Eh bien… Que si je ne pouvais plus le garder, vous vous en occuperiez.

— Moi ?

— Oui. »

Dans la cage, le canari s'ébroua. Il sautilla en dessinant un triangle et pépia d'une voix rauque. Ce n'était pas le chant du canari tel que le connaissait Sentarô. Peut-être n'était-ce pas la saison pour les gazouillis harmonieux.

« Elle exagère un peu, Mme Yoshii. Écoute, c'est dommage, mais moi aussi j'habite en appartement. Je n'ai pas le droit d'élever un animal.

— Elle m'a dit ça, aussi. Dans ce cas, d'après elle, vous accepteriez peut-être de le garder à la boutique.

— Mme Yoshii t'a dit ça ?

— Oui.

— C'est n'importe quoi. »

Sentarô faillit claquer de la langue en signe de désapprobation devant Wakana.

« Un animal, ça ne va pas être possible ici non plus. Et puis, ce n'est pas moi le propriétaire. En général, un animal dans un endroit où l'on sert à manger, c'est compliqué.

— Ah bon ?

— Je regrette. »

Wakana eut l'air déçue. La bouche entrouverte, elle regardait le canari dans sa cage.

« Wakana ? Tu sais pourquoi Mme Yoshii a arrêté de travailler ici ?

Qu'est-ce qu'il allait raconter à une collégienne ? S'il devait faire marche arrière, c'était maintenant. Sentarô hésita un instant, mais il ne parvint pas à se réfréner.

« Wakana, tu as interrogé Mme Yoshii, n'est-ce pas ? Tu lui as demandé pourquoi ses doigts étaient comme ça ? »

Les yeux de Wakana, fixés sur le canari, allèrent de droite et de gauche. Elle acquiesça.

« Elle t'a dit qu'elle avait été malade dans sa jeunesse, n'est-ce pas ?

— Oui.

— Ce jour-là, c'était la première fois que tu faisais attention à ses doigts ? Ou tu les avais déjà remarqués ? »

Wakana leva les yeux sur Sentarô.

« Je le savais déjà avant.

— Alors, pourquoi lui as-tu posé la question ? »

Le canari pépia.

« Parce qu'il me semblait que c'était mieux. »

Sous la lumière douce, les grands yeux humides de Wakana, son signe distinctif, se dilatèrent.

« Je vois. Bien. Alors, laisse-moi te dire… Mme Yoshii se tracasse parce que le chiffre d'affaires de la boutique a baissé. Elle se demande si ce n'est pas de sa faute.

— Ça s'appelle la maladie de Hansen, n'est-ce pas ? »

Sentarô hocha simplement la tête en silence.

« Mais… comment l'as-tu compris ?

— Je n'ai parlé qu'à une seule personne des doigts de Mme Yoshii.

— À qui ? »

Wakana baissa les yeux sur le *dorayaki* dans son assiette. Puis elle releva lentement le visage.

« À ma mère. »

Une bourrasque balaya la rue. Les feuilles qui tombaient contre la vitre coulissante émettaient un petit claquement sec.

« Ah bon. Ta mère ?

— Oui. Et alors, un après-midi, elle est venue toute seule, paraît-il…

— Et puis ?

— D'ici, quand on continue loin en bus, il y a un sanatorium pour les gens atteints de la maladie de Hansen, n'est-ce pas ? Elle m'a dit que c'était peut-être quelqu'un de là-bas. Et que… je ne devais plus venir ici. »

Le canari sautillait en rond, comme pour souligner l'exiguïté de sa cage.

Les feuilles de cerisier tombaient les unes après les autres.

« Ah bon… je vois…, dit lentement Sentarô, en prenant soin de ne pas changer d'expression. Mais les mots lui échappèrent : Et ta mère ? Tu crois qu'elle a parlé de la maladie de Mme Yoshii à quelqu'un d'autre ?

— Je ne sais pas. Mais vu le genre de travail qu'elle fait le soir, peut-être qu'elle l'a dit à quelqu'un quand elle était soûle. À un monsieur du quartier, par exemple. »

Wakana, le regard posé sur l'intérieur de la cuisine, restait immobile.

« Il n'y a pas que ta mère…, reprit Sentarô à voix basse. Il y avait des clients qui regardaient Mme Yoshii d'un drôle d'air, c'est certain. Et maintenant, la clientèle a sacrément diminué. Comme si la rumeur s'était répandue.

— C'est écœurant. »

Wakana avait un ton réprobateur, comme si elle ne se sentait pas concernée. Sentarô se demanda comment répondre, il ravala quelques reparties qu'il avait sur le bout de la langue.

« Les gens sont comme ça. C'est pour cela qu'il n'est pas question de garder ce canari ici. Dernièrement, tout le monde redoute la grippe aviaire, n'est-ce pas ? Il y a dix ans, les choses auraient peut-être été différentes, mais aujourd'hui, un oiseau dans un établissement de bouche, ça serait mal vu.

— Vous croyez ? »

Wakana suivit du doigt les barreaux métalliques de la cage. Marvy sautilla.

« Je pense qu'il y aurait aussi des clients qui viendraient parce qu'il y a un canari. »

Sentarô secoua la tête.

« Ce n'est pas si simple. »

Wakana baissa la tête.

« Mais bon…

— Oui ?

— Je parle des gens comme si cela ne me concernait pas, mais en l'occurrence… j'ai fait pire. »

Wakana, silencieuse, effleurait les barreaux de la cage. Le canari fit un bond et donna un petit coup de bec près de son doigt. Elle le retira, et tourna enfin le visage vers Sentarô.

« Parce que je n'ai pas pris le parti de Mme Yoshii quand elle a voulu démissionner.

— Que voulez-vous dire ?

— Alors qu'elle m'a tout appris sur la pâte *an*. »

Un silence se fit, puis Wakana murmura :

« Je ne sais pas, mais, dans ce cas, si vous repartiez de zéro ?

— Repartir de zéro ?

— Oui.

— Que veux-tu dire ?

— Vous êtes en colère parce que ce n'est pas ce que vous vouliez ?

— Ma foi… »

Cette fois, c'était au tour de Sentarô de baisser la tête.

« Si vous repartiez de zéro ?

— Ce n'est pas si simple…

— Vous avez le numéro de téléphone de Mme Yoshii ? »

Wakana se redressa. Sentarô répondit, comme acculé.

« Elle n'a pas le téléphone, semble-t-il. Mais j'ai son adresse.

— Vous savez, cette fois-là, elle m'a dit qu'en dernier recours, elle voulait bien s'occuper de Marvy, si vous ne pouviez pas.

— Ah bon, vraiment ?

— Vraiment. C'est ce qu'elle m'a dit. Ce jour-là, nous avons regardé la lune ensemble. La pleine lune était visible au-dessus du cerisier devant la boutique. Mme Yoshii m'a dit, elle est belle, admirons-la ensemble… et elle m'a proposé ça, en contemplant la lune. Pour elle, c'était une promesse à trois, entre la lune, elle et moi.

— Une promesse avec la lune… Mais l'endroit où vit Mme Yoshii, c'est sans doute le sanatorium.

— Mais elle m'a promis.

— Dans ce cas, on pourrait lui écrire. »

Le visage de Wakana s'éclaira. Sentarô était pris sous le feu de ses grands yeux humides.

Au bout du compte, il fut décidé qu'il garderait le canari en attendant la réponse de Tokue. En priant pour que personne n'aille le dénoncer à son propriétaire, il rentra chez lui avec l'oiseau.

16

La haie de houx semblait ne jamais vouloir prendre fin.

Sur la grande artère à la circulation dense, au coin d'une rue calme, se dressaient deux pancartes : *Centre national de documentation sur la maladie de Hansen* et *Tenshôen*. À partir de là, le côté est de la rue était résidentiel. Pareil à une frontière, le vert du houx s'étendait à l'infini.

Sentarô marchait à côté de Wakana. Dans cette rue, on ne croisait guère d'autres passants. La haie de houx apparemment sans fin rappelait à Sentarô le lieu où il avait séjourné dans le passé. Seul le chant des oiseaux leur parvenait, exacerbé. Comme en réponse, dans sa cage, Marvy pépiait.

« Elle n'en finit pas, cette haie.

— C'est du houx, n'est-ce pas ? Ces feuilles pointues.

— Oui, la plante de Noël.

— Il paraît qu'on en a planté plein pour éviter que les patients s'enfuient.

— C'est de l'histoire ancienne, non ?

— Oui, mais la haie est toujours là. »

Wakana aussi, depuis leur dernière conversation, s'était un peu renseignée sur Internet. Elle avait engrangé des connaissances sur la politique de confinement des malades de la lèpre, autrefois.

En avançant le long de la haie, Sentarô laissa le bout de ses doigts frôler les feuilles de houx bien fournies. Ça picotait douloureusement. Cette douleur lui parut plus dérangeante que les barreaux derrière lesquels il avait séjourné.

Était-ce la trace d'anciennes entrées de service ? De temps à autre, la haie s'interrompait. Mais là aussi une végétation touffue poussait, bloquant la vue vers l'intérieur.

Ils suivirent la haie sur une longue distance. Enfin, le portail du Centre national de documentation sur la maladie de Hansen apparut.

Ils venaient de longer une rue tristement déserte, mais à l'entrée du centre de documentation le calme régnait aussi. Le soleil filtrant à travers le feuillage encadrait les bâtiments bordant l'esplanade. Le silence de la lumière et de l'ombre soulignait encore la quiétude du lieu.

Devant le centre de documentation se dressait la statue d'une mère et de son enfant, en habits de pèlerin.

Seule la mère avait-elle eu la lèpre, ou l'enfant avec elle aussi ?

Parce qu'elles avaient contracté cette maladie, des mères chassées de leur village avec leur enfant avaient sans doute erré dans des contrées étrangères, autrefois. Cette statue était peut-être destinée à apaiser leurs mânes. Sentarô, conscient de se trouver dans un lieu chargé d'un lourd passé, sentit la tension gagner son dos.

À côté du parking du centre de documentation, il y avait un panneau avec un plan de l'intérieur du Tenshôen. Il était prévu qu'ils retrouvent Tokue au magasin. D'après le plan, c'était presque au milieu de la résidence, près de la salle de réunion et des bains. Il y avait aussi des pâtés de maisons alignées en bon ordre, portant chacun un nom comme « Aube » ou « Vénus ».

« Il est encore un peu tôt. »

À l'invitation de Wakana, Sentarô regarda sa montre. Effectivement, il leur restait du temps avant l'heure du rendez-vous avec Tokue.

« Dans ce cas, si on se promenait un peu à l'intérieur ?

— D'accord. »

Bien qu'elle ait hoché la tête, Wakana semblait intimidée. Sentarô la comprenait. Il ressentait la même chose.

Un univers qui, jusqu'à il y a peu, lui était parfaitement étranger. Voilà ce qui s'étendait sous ses yeux.

C'était en 1996 que la loi sur la prévention de la lèpre avait été abrogée. Cette année-là, les anciens malades avaient obtenu le droit de sortir librement. Et les particuliers, auxquels l'intérieur de l'enceinte de houx avait été interdit, avaient pu pénétrer librement dans la léproserie.

Mais tout de même, pendant plus d'un siècle, cet endroit n'avait cessé d'avaler des gens, d'en exclure d'autres. Sentarô crut sentir, derrière cette quiétude singulière, des soupirs et des regrets profondément imprégnés dans le sol.

Sentarô et Wakana contournèrent le centre de documentation et prirent un sentier qui longeait la résidence. Il était bordé des deux côtés de cerisiers superbes, bien que dépouillés de leurs feuilles. Au printemps, le spectacle devait être magnifique.

Mais il n'y avait pas trace de présence humaine. À part le chant des oiseaux, aucun son ne leur parvenait.

« Qu'est-ce que c'est calme ! »

Exprès, Sentarô formula l'évidence.

« Effrayant » fut l'adjectif choisi par Wakana.

Ils s'assirent sur un banc proche de l'allée de cerisiers. Sentarô posa la cage du canari par terre et examina les alentours, totalement déserts. Des maisons de plain-pied identiques s'alignaient en rang d'oignons. Ce paysage lui était étranger, comme les immeubles ou les baraquements d'un pays lointain.

Ils s'étaient abandonnés au calme lorsque au loin, une bicyclette apparut. Elle roulait sur un chemin qui traversait la résidence, à l'autre bout de l'allée. Puisque n'importe qui pouvait entrer, c'était peut-être un voisin, ou bien un ancien patient qui vivait ici.

La bicyclette s'approcha d'eux. Elle était conduite par un vieil homme. Il portait un chapeau à large bord. Comment était son visage ? Sentarô s'interrogea soudain. Devait-il le regarder ou non ? Il hésitait. Wakana baissa la tête. Sentarô releva la sienne.

Au passage du vélo, il croisa le regard du conducteur. Son visage était parfaitement ordinaire. Il avait un nez, et rien ne laissait supposer une quelconque paralysie. L'homme leur jeta seulement un coup d'œil, comme s'ils formaient un spectacle rare.

Sentarô détourna le regard de la bicyclette qui s'éloignait et se demanda ce qu'il venait de faire. Pourquoi avait-il tenu à voir le visage de cet homme ? Cela lui échappait. Quand ils entreraient dans la résidence et iraient au magasin, les gens qu'ils rencontreraient seraient sans doute en majorité d'anciens malades. À cause de lourdes séquelles, certains auraient peut-être une apparence peu ordinaire.

N'était-il donc pas encore prêt à les rencontrer ?

Non, il ne s'agissait pas d'être prêt, ne faisait-il pas fausse route ? C'était plus qu'une question d'attitude, c'est intérieurement qu'il était encore perdu.

« Avec un tel calme, on se demande...

— C'est que c'est vraiment l'endroit où ils vivent. C'est pour de vrai, ici. »

Wakana tourna son regard vers les maisons alignées.

« Oui, c'est ça. Parce que là, ce ne sont pas des informations sur Internet, c'est pour de vrai. »

Comme dépassés, ils opinaient du chef de concert.

« Il est encore un peu tôt, mais puisque Mme Yoshii est toujours en avance, si on y allait ?

— D'accord. »

Sentarô et Wakana quittèrent leur banc et se mirent en marche, suivant les indications du plan. L'allée bordée d'arbres qu'ils avaient d'abord longée épousait le pourtour du Tenshôen. Ils allaient enfin pénétrer dans la résidence, vers le magasin.

Toutes les maisons de plain-pied semblaient partagées entre trois ou quatre familles, comme des *nagaya*, les maisons mitoyennes d'autrefois. De la lessive se balançait sous l'auvent de certaines, tandis que d'autres gardaient leurs rideaux étroitement tirés. Un grand calme régnait partout, on n'entendait même pas le son d'un téléviseur ou d'une radio.

C'est alors que la mélodie d'une boîte à musique s'éleva de nulle part.

« Ah, là-bas… »

Wakana tendit le doigt.

De l'autre côté des maisons, un camion à la forme singulière roulait au pas. La mélodie de boîte à musique en provenait. Le camion déboucha dans la rue que parcouraient Sentarô et Wakana, tourna lentement et continua son chemin dans la direction opposée.

« Pourquoi ? »

Avant même que Wakana ne l'exprime à voix haute, Sentarô s'était posé la même question.

À l'arrière du camion était fixée une rambarde à laquelle s'accrochaient trois ouvriers, debout. Sentarô ignorait à quoi servait ce véhicule, mais ce qui avait attiré son attention, c'était la silhouette de ces hommes. Des pieds à la tête, ils étaient vêtus d'une sorte de combinaison protectrice d'un blanc immaculé.

« Pourquoi sont-ils habillés comme ça ? »

Sentarô, dérouté, répondit à Wakana la première chose qui lui passa par la tête.

« Parce qu'ici, c'est un sanatorium… un hôpital… alors, ils sont sûrement très attentifs à tous les microbes.

— Mais, et Marvy ?

— C'est vrai, ça. Un hôpital qui autorise les animaux…

— Pourtant, Mme Yoshii m'a dit oui. »

Sentarô lança de nouveau un regard dans la direction suivie par le camion et les ouvriers en combinaison de protection.

Si la maladie de Hansen avait quasiment disparu du Japon, il semblait inutile de prendre de telles précautions. Sentarô s'en fit la réflexion. Dans les articles qu'il avait parcourus sur Internet, il était dit que parmi le personnel médical au Japon, aucun cas de contamination n'avait encore été constaté. Dans ce cas, les gens qui travaillaient ici aussi pourraient s'habiller tout à fait normalement, non ? Avait-il eu raison d'amener une collégienne ? L'inquiétude le gagna.

« Ah, des gens ! »

Ils venaient de passer entre les bains et la salle de jeu de go et d'échecs japonais quand Wakana s'immobilisa.

C'était sans doute le magasin. Devant un bâtiment rappelant le supermarché d'une coopérative se tenaient plusieurs personnes, apparemment en grande conversation.

« Ils rient. »

Wakana mettait simplement des mots sur ce qu'elle voyait. Étrangement, la tension qui habitait Sentarô s'évapora alors. C'était un drôle de développement, songea-t-il. Sa nervosité à l'idée de rencontrer les résidents commençait à retomber parce qu'il les avait enfin vus.

Comme l'avait remarqué Wakana, ils riaient. Ils avaient tous l'air paisible.

Sentarô et Wakana, en se dirigeant vers le magasin, croisèrent plusieurs personnes.

L'une d'entre elles s'appuyait sur une canne. Un autre conduisait une bicyclette. Un autre encore avait les deux mains chargées de sacs de médicaments. L'état de santé de chacun semblait différer. Leur point commun était leur âge avancé. Une personne avait observé fixement Marvy dans sa cage. Il y avait aussi un groupe, peut-être des malvoyants, qui portaient des lunettes noires.

Afin que Wakana puisse l'entendre, Sentarô se rapprocha discrètement d'elle et chuchota :

« Ils ont tous à peu près l'âge de Mme Yoshii. »

Le magasin se dressait devant eux. La porte était grande ouverte. Rien ne le distinguait d'un supermarché ordinaire. À droite, s'alignaient des produits alimentaires et des objets du quotidien. À gauche, se trouvaient plusieurs tables rondes, avec un distributeur automatique de boissons contre le mur.

Enfin, à l'une des tables près de la fenêtre, était assise Tokue Yoshii, seule.

17

Avant même que Sentarô ne l'interpelle, Tokue se leva lentement. Son regard papillonnait entre Sentarô et Wakana. En clignant d'un œil, elle croisa ses mains déformées devant sa poitrine.

« Madame Yoshii ! »

Sentarô la salua et Tokue s'inclina.

« Cela fait bien longtemps ! Toi aussi, Wakana.

— Oui, c'est vrai.

— Vraiment. Voilà une éternité que je ne vous ai pas vus. »

Tokue, en souriant largement à Wakana, ouvrait les mains, les recroisait.

« Merci d'être venus. Merci à vous deux.

— Je vous en prie, c'est nous qui nous imposons. »

Sentarô souleva la cage pour lui montrer le canari.

« Désolé de vous apporter une source de tracas.

— Quel beau jaune !

— Je pense que c'est un serin à poitrine citron. Euh, il s'appelle Marvy. »

Wakana, sa voix partant un peu dans les aigus, expliqua qu'il lui était finalement impossible de garder Marvy chez elle.

« C'est-à-dire que je ne pensais pas qu'il se mettrait à chanter.

— Alors, pour l'instant, c'est moi qui m'en occupe. Comme je vous l'ai écrit. »

Tokue scruta l'intérieur de la cage et appela : « Marvy ?

— Mais, hum… Les animaux sont autorisés, ici ? »

Sentarô interrogea Tokue, qui hocha la tête.

« Oui. Moi aussi, autrefois, j'en ai eu un. Un canari.

— Ah bon, vraiment ?

— Ah, tant mieux ! »

Sentarô comme Wakana se sentaient enfin soulagés.

« En fait, il y a des sortes de règles de quartier… Les chiens sont interdits, parce qu'un jour quelqu'un s'est fait mordre, et les aboiements sont bruyants. Les chats, c'est bon, mais un seul par foyer, et pour les oiseaux et les petits animaux, il n'y a aucun problème. Donc, je vais m'occuper de Marvy.

— Merci. Ça nous aide beaucoup.

— Mais pourquoi étiez-vous inquiets ?

— Eh bien, c'est-à-dire que…, bafouilla Sentarô. Il fit une pause et reprit : Tout à l'heure, en chemin, nous avons aperçu un drôle de camion. Trois ouvriers se tenaient debout à l'arrière. Ils étaient vêtus de sortes de combinaisons de protection… »

Comme pour obtenir son assentiment, Sentarô regarda Wakana. Celle-ci poursuivit :

« Oui. Comme des combinaisons d'astronautes.

— Du coup, j'ai pensé qu'il leur fallait s'habiller comme ça parce qu'ici, c'est un hôpital. Je me demandais si, dans ce cas, on pouvait amener un animal. »

Sentarô n'évoqua pas ses autres inquiétudes – si des gens étaient vêtus ainsi, c'était parce que les risques de contagion existaient encore, une idée qui l'avait légèrement déstabilisé. Il ne pouvait quand même pas dire cela à Tokue.

« Ah, ce camion-là. C'est différent. »

Tokue secoua la tête.

« Leur accoutrement a dû vous inquiéter, c'est sûr. Mais maintenant, ni les ouvriers qui font des travaux ici, ni les gens du ménage, pas même ceux qui travaillent à l'hôpital ne s'habillent comme ça. Ce camion, c'est pour le portage des repas.

— Le portage ? »

Wakana la fit répéter.

« Oui. Le camion qui livre à manger. Des repas sont livrés matin, midi et soir à ceux qui en ont besoin. Ils sont tout en blanc, comme les cuisiniers des restaurants normaux. Mais maintenant que vous me le faites remarquer, c'est vrai. Ils sont les seuls à être accoutrés comme autrefois.

— Ah, ce n'était donc que ça. »

Sentarô et Wakana échangèrent un regard.

« Voilà déjà cent ans que cet endroit existe. Et pourtant, que des jeunes comme Wakana puissent venir librement, comme aujourd'hui, c'est tout récent. Il y a encore plein de choses à changer. »

Sentarô se rendit soudain compte que les gens autour d'eux étaient tous d'anciens malades de la lèpre. Peut-être avaient-ils entendu leur conversation. Qu'avaient-ils pensé du fait qu'ils parlent du camion de livraison des repas ? Sentarô s'alarma un peu.

« Bien, je vais donc garder Marvy.

— Oh oui, je vous en prie. »

Tokue sourit à Sentarô qui faisait profil bas.

« Ne vous en faites pas. Cela fait tout juste dix ans que mon mari est parti. Je me sens seule, alors c'est à moi que l'arrivée de Marvy fait plaisir.

— Ah bon, madame Yoshii, vous étiez mariée ?

— Oui. Mais je n'ai pas d'enfants.

— Mais vous ne m'en avez jamais parlé… »

Sentarô, sentant que le sujet était particulièrement délicat, s'interrompit. Tokue le comprit peut-être, c'est elle qui poursuivit :

« Je me suis mariée avec quelqu'un que j'ai rencontré ici. Moi, j'étais guérie, mais lui, ça a pris longtemps. Et puis, il a rechuté… Pour sûr, il n'a pas eu une vie facile.

— Ah bon. »

Sentarô comme Wakana ne purent qu'acquiescer aux paroles de Tokue.

« Ça, j'en aurais, des choses à raconter… »

Les gens attablés autour d'eux prenaient un café ou un thé. Ils semblaient discrètement s'intéresser à leur tablée. Ce n'était peut-être pas le moment d'interroger Tokue sur sa lutte contre la maladie, se dit fugitivement Sentarô.

« Mais mon mari a été très courageux.

— Son décès a-t-il été provoqué par la rechute ?

— Non. Cette maladie ne tue pas. Même les personnes les plus lourdement handicapées vivent toutes jusqu'à un âge avancé. Parce que ce n'est pas une maladie mortelle. Mon mari a toujours eu le cœur faible. Nous pensions avoir enfin vaincu la maladie quand il est subitement décédé.

— Que c'est triste.

— Vous savez, même après notre mort, nous ne pouvons pas rentrer chez nous. Mon mari aussi repose au columbarium d'ici. Du coup, je vais lui rendre visite presque tous les jours. »

Marvy se mit alors à pépier.

« En tout cas, il gazouille, remarqua Tokue.

— Eh oui, il gazouille, répondit Wakana. C'est pour ça que je ne peux pas le garder. Mais ma mère m'a dit que normalement, le chant des canaris était plus joli.

— À la saison des amours, il chantera sans doute un peu plus joliment », intervint Sentarô.

Tokue se mit à rire.

« Quand ce sera la saison des amours, il sera malheureux s'il ne trouve pas de partenaire. »

Elle approcha son visage de la cage et imita le pépiement de l'oiseau. Wakana, qui la regardait d'un air embarrassé, murmura : « Alors, il faut en prendre un deuxième.

— Un deuxième, pourquoi pas ? Au fait, comment le nourrir ? Avec des aliments pour oiseaux ordinaires, et puis des feuilles de salade et des légumes verts, c'est ça ?

— Oui. Il lui faut des légumes.

— Il mange pas mal, vous savez, remarqua Sentarô.

— Oh, pardon. »

Tokue, qui s'était penchée pour regarder dans la cage, avait le nez qui coulait. Elle sortit un mouchoir en papier de sa poche.

« Je me suis enrhumée, semble-t-il, et je n'arrive pas à guérir.

— Vous étiez très fatiguée quand vous avez quitté Doraharu.

— Oui. Depuis, c'est pas la grande forme… »

Tokue se moucha et s'excusa à nouveau.

« Autrefois, je n'aurais pas pu me moucher ainsi. À une époque, on disait que la maladie se propageait par les sécrétions nasales. D'ailleurs, en fait, ce n'était pas faux, paraît-il. »

Tokue ouvrit sa pochette en tissu et y glissa délicatement son mouchoir.

En la regardant faire du coin de l'œil, Wakana demanda soudain :

« Madame Yoshii, quand êtes-vous arrivée ici ? »

Sentarô tenta d'intervenir, arrête ! – mais, sans l'ombre d'une hésitation, Tokue répondit : « À ton âge, à peu près.

— À mon âge ?

— Oui. Voyons… Quand j'étais enfant, j'habitais en pleine campagne. Le Japon avait perdu la guerre, c'était une époque très dure. Mon frère aîné est revenu de Chine, mais il était maigre comme un spectre, et on n'avait rien à manger, ni les uns ni les autres. Et alors, dans ce contexte, mon père est mort. D'une pneumonie.

— Vous n'aviez pas de médicaments ? » demanda Wakana à voix basse.

Mme Yoshii secoua la tête avec un rire amer.

« Pas à l'époque, non. »

Marvy gazouilla. La conversation enjouée des personnes en train de prendre un thé aux autres tables enflait par instants. Sentarô et Wakana approchèrent un peu leur visage de celui de Tokue.

« Mes deux frères ont fini par trouver du travail. Ma sœur cadette et moi, nous aidions dans une ferme. Nous commencions enfin à penser que nous allions peut-être arriver à nous en sortir, quand… oh, je ne voulais pas y croire ! Un jour, j'ai découvert sur ma cuisse une boursouflure rouge. »

Tokue désigna du doigt sa cuisse droite.

« Je me demandais ce que ça pouvait bien être. Ma mère aussi était inquiète, elle m'a emmenée à l'hôpital de la ville voisine, mais le médecin ne savait pas trop. Il nous a donné un remède et on est rentrées. Au bout d'un moment, j'ai eu l'impression que ça s'était un peu étendu. Je ne sais pas pourquoi, mais j'avais aussi moins de sensations dans la plante du pied. Je pouvais me pincer, ça ne faisait pas mal. Je commençais à trouver cela bizarre quand le médecin de l'hôpital m'a convoquée, et j'y suis retournée avec maman et mon deuxième frère… »

Peut-être habitué à son environnement à présent, Marvy se mit à gazouiller vigoureusement. Les gens installés aux autres tables venaient de temps en temps le regarder. Chaque fois que l'un d'eux s'adressait à elle pour dire « C'est un canari », Tokue interrompait son récit.

« Et alors… Il m'a été ordonné d'aller au Tenshôen, ici. On ne m'avait rien dit à moi, mais ma mère et mon frère avaient été informés de tout, semble-t-il. Après, ça a été terrible. Imaginez, un voyage depuis la campagne du centre du Japon jusqu'aux confins de Tokyo. Nous sommes d'abord rentrés à la maison et, ce soir-là, ma mère a préparé un dîner avec tous les ingrédients sur lesquels elle avait pu mettre la main. Il y avait de l'omelette roulée. À l'époque, c'était un véritable festin. Ma petite sœur était folle de joie. Mais comme ma mère pleurait, ma sœur aussi, peu à peu, s'est assombrie. Et alors, mon deuxième frère a dit que j'avais contracté une maladie assez grave et que je ne pourrais pas rentrer avant un certain temps, nous devions nous y préparer. Je crois que je me suis efforcée de manger avec le sourire, mais, bien entendu, je n'ai rien pu avaler.

— On ne vous avait pas dit de quelle maladie il s'agissait ? »

— Euh, non… pas explicitement. J'essayais tant bien que mal de me convaincre que ce n'était quand même pas cette maladie. Mais le lendemain, je suis partie, avec mon frère aîné.

— Et votre mère ? demanda Wakana.

— Elle est venue jusqu'à la gare. En pleurant et en me demandant pardon. Elle avait passé toute la nuit à me coudre un corsage. Je me suis demandé où elle avait bien pu trouver le tissu. Une étoffe en tricot blanc. Cela faisait vraiment longtemps que je n'avais pas été aussi bien habillée, non, c'était même sûrement la première fois, ai-je pensé. Mais quand je me disais que je ne reverrais sans doute pas ma famille avant un certain temps, j'étais triste. Je portais ce corsage à la gare ; ma mère et moi, dans les bras l'une de l'autre, nous avons pleuré ensemble. Mon deuxième frère et ma sœur ne sont pas venus. Nous nous étions dit au revoir à la porte de la maison, pour la dernière fois. Ma sœur n'arrêtait pas de pleurer.

Moi aussi, je pleurais, mais je lui disais, ne t'en fais pas, je vais sûrement revenir. Ensuite, le voyage en train jusqu'à Tokyo a duré longtemps. Le trajet avait pris toute la nuit, et quand nous sommes descendus à la gare, mon frère m'a dit, tu as sans doute la lèpre. Si c'est le cas, je vais devoir rentrer sans toi. »

À ce point de son récit, Tokue s'interrompit. Le regard fixé sur la table, elle ferma lentement les paupières. De ses doigts déformés, elle sortit de nouveau son paquet de mouchoirs et se tamponna délicatement le coin des yeux et le nez.

« Madame Yoshii, à ce moment-là, quel âge aviez-vous ?

— Quatorze ans. »

Après avoir enfin lâché cette brève réponse, Tokue se moucha bruyamment.

« Alors ici, j'ai enfin été examinée… Ensuite, il m'a fallu prendre un bain désinfectant. Après, tous mes vêtements et toutes mes affaires ont été détruits. En pleurs, j'ai supplié l'infirmière d'épargner au moins le corsage que maman m'avait cousu. Mais elle a refusé, parce que c'était le règlement. Dans ce cas, puisque mon frère attend, laissez-le le remporter s'il vous plaît, ai-je dit. Et alors, on m'a annoncé qu'il était déjà reparti. Tu n'as plus de famille ici. Et tu vas changer de nom à partir d'aujourd'hui. Voilà ce qu'on m'a dit… ce qu'ils m'ont dit. Je pleurais à chaudes larmes. Pourquoi fallait-il que cela m'arrive ? Parce que je le savais. Je savais qu'une fois qu'on avait contracté la lèpre, on ne pouvait plus jamais sortir. Moi aussi, quand j'apercevais des lépreux, ils me faisaient peur. Mais jamais je n'aurais imaginé que… »

Chaque fois que Tokue s'interrompait, la voix brisée, Sentarô intervenait avec délicatesse.

« Et votre corsage ?

— Je ne l'ai jamais retrouvé. Il a disparu à tout jamais, ce corsage que maman m'avait cousu. On m'a juste donné deux kimonos doublés à rayures, des vêtements d'hôpital. Et on m'a annoncé que je n'en aurais pas d'autres. Que la prochaine fois qu'on nous distribuerait des kimonos neufs, ce serait dans deux ans. D'ici là, porte ceux-là et prends-en soin, m'a-t-on dit. Et je n'étais qu'une fillette. »

À ce moment-là, une voix s'éleva dans leur dos. Une voix étouffée. « Madame Yoshii, madame Yoshii ! » Tokue releva le visage et fit un signe de la main : « Ah ! »

« Ne bouge pas, Tokue. Je dépose ça et je repars. »

Sentarô et Wakana se tournèrent dans la direction d'où venait la voix.

Ses séquelles étaient sans doute plus graves que celles de Tokue. Une vieille femme au visage manifestement déformé se tenait là. Sa lèvre inférieure pendait, dévoilant sa gencive.

Sentarô, ne sachant pas comment réagir, la salua simplement d'un signe de tête ; Wakana aussi.

« Je suis Mme Moriyama, une amie de Tokue. Nous avons toujours confectionné des pâtisseries ensemble.

— Ah, eh bien nous, nous devons beaucoup à Mme Yoshii.

— Mais alors… vous êtes sûrement le marchand de *dorayaki* ?

— Oui, c'est ça.

— Moi aussi, j'aurais bien aimé travailler. »

Sur ces mots, Mme Moriyama lança « À tout à l'heure » dans un sourire et quitta le magasin. Sur la table était posé un sac en plastique laissant apercevoir du papier aluminium.

« Si cela ne vous ennuie pas, ouvrez-le. Je pense qu'elle a fait cuire des biscuits au four. »

En toute honnêteté, Sentarô n'avait aucune envie d'y goûter. L'histoire de Tokue l'avait bouleversé, et rencontrer pour la première fois une personne lourdement handicapée l'avait secoué. Avait-elle senti son hésitation ? C'est Tokue qui s'empara la première des gâteaux. Elle sortit du sac plastique le paquet enveloppé d'aluminium qu'elle écarta de ses doigts crochus. De petits biscuits tout fins en émergèrent.

« Ah, des tuiles !

— Des tuiles ? répéta Sentarô.

— La version française des *kawara-senbei*, si vous préférez », répondit Tokue, et elle leur en tendit une chacun. « C'est un biscuit aux amandes et à l'orange, très simple à préparer.

— Vous êtes calée. Moi, j'ai beau vendre des pâtisseries, je n'y connais rien… »

Il aurait été mensonger d'affirmer qu'avant de porter le biscuit à sa bouche, les doigts de Sentarô n'avaient pas hésité. Mais, à l'instant où la tuile effleura ses lèvres, un entêtant parfum d'agrumes lui monta aux narines. Cela modifia sa disposition d'esprit. Lorsqu'il croqua les amandes effilées, la saveur se fit plus insistante.

« C'est intéressant, ça, dit Sentarô.

— C'est vrai. On sent bien le fruit. »

Wakana aussi avait la voix un peu plus guillerette. Elle brisa une tuile entre ses doigts et en porta un morceau à sa bouche.

« Mais comment connaissez-vous ce biscuit ? La dame de tout à l'heure et vous, vous êtes toujours restées ici ?

— Eh oui, fit Tokue en remettant les tuiles dans le papier aluminium. Et si on allait faire un petit tour ? »

À son invitation, Sentarô et Wakana se levèrent.

18

La cage à oiseaux à la main, ils prirent avec Tokue le chemin qui traversait la résidence. À l'écart du magasin, le calme régnait de nouveau.

« Pour ce qui est du traitement, vous savez, au début la promine n'existait pas. »

La promine. Le remède miracle contre la maladie de Hansen. Ce médicament avait été une révolution. Il avait mis un terme à des années de détresse, Sentarô et Wakana le savaient pour l'avoir lu sur Internet.

« Mais ce médicament vous a guérie, n'est-ce pas ? demanda Wakana.

— Au Japon, on ne l'a pas eu tout de suite. Mais on entendait parler de sa grande efficacité. Alors, on s'est dit que le seul moyen était de nous unir, entre patients. De manifester pour obtenir la promine, en quelque sorte. Cette lutte a éclos dans tous les sanatoriums. Quelques années plus tôt, cela nous aurait valu la cellule d'isolement.

— La cellule d'isolement ? Ce genre d'endroit existait ? Moi… »

À deux doigts d'évoquer son expérience, Sentarô se tut brusquement.

« Autrefois, il y en avait une au sanatorium de Kusatsu. Un cachot. Il y avait des cellules dans tous les sanatoriums, mais quand on partait pour le cachot de Kusatsu, on n'en revenait pas vivant, disait-on. On était enfermé pendant des mois dans une pièce totalement obscure, où la lumière du jour ne pénétrait pas. En hiver, elle était ensevelie sous la neige, il paraît qu'on y mourait de froid. »

Tokue expliqua d'un ton égal à Wakana, qui était restée bouche bée :

« Dans l'obscurité, soit on devient fou, soit on meurt. Ici aussi, au Tenshôen, il y a des gens qui ont été envoyés en cellule d'isolement à Kusatsu parce qu'ils avaient fait grève, et qui y sont morts. »

Quel difficile quotidien avait dû être celui de la jeune Tokue pensait Sentarô qui superposait à ces images celles de son séjour derrière les barreaux.

« Mais si je n'avais pas contracté cette maladie, je ne me serais pas sentie concernée non plus, je crois. Il m'est arrivé de voir des lépreux quand j'étais petite. Parmi les clochards, seuls ceux soupçonnés d'être atteints avaient été rassemblés et emmenés dans un camion de police. Les gens des services sanitaires sont venus, ils ont arrosé le camion de poudre blanche. Ils en saupoudraient sans hésiter les personnes roulées en boule. Je les regardais, et je les trouvais effrayantes, ces personnes qu'on emmenait ainsi. Du coup, pendant un temps, après mon arrivée, ce que je détestais le plus, c'était de voir les gens malades enfermés ici, comme moi. Alors que j'en faisais partie. »

Je crois que je vous comprends, faillit dire Sentarô, mais il retint les mots au fond de sa gorge.

« Sur certains, la maladie avait déjà beaucoup progressé. Ils avaient ce qu'on appelle des nodules, de grosses bosses ou des croûtes sur tout le corps, comme des fruits de la maladie qui jailliraient. D'autres avaient perdu leurs doigts ou leur nez. Du temps où il n'y avait pas de médicament, des gens comme ça, il y en avait plein. Je craignais qu'il m'arrive la même chose, progressivement… Cela me faisait vraiment horreur d'avoir sous les yeux ces gens qui faisaient peine à voir. »

Tokue, qui avait continué à parler à voix basse en marchant, s'arrêta devant une sorte de petite colline, le seul endroit un peu élevé. Peut-être était-ce, à l'origine, un remblai. Des arbrisseaux y poussaient, et çà et là s'épanouissaient des fleurs des champs typiques de l'automne finissant.

« Ils voulaient tous rentrer chez eux. Ils avaient le mal du pays. Ceux qui en rêvaient venaient ici. »

Tokue tendit le doigt. La terre tassée formait un escalier.

« Cet endroit existait avant mon arrivée. Comme les patients les moins atteints étaient chargés de défricher la forêt, ils ont apporté ici la terre excavée pour en faire une colline. De là-haut, devant les montagnes au loin, chacun rêvait à son pays natal. »

Wakana interrogea Tokue qui restait immobile, sans faire mine de grimper :

« Vous aussi, vous avez gravi cette colline, madame Yoshii ?

— Oui, plusieurs fois. Mais comme je ne pouvais pas sortir, je me sentais encore plus malheureuse. Malheureuse comme les pierres. Alors, au bout d'un moment, je ne suis plus venue. À la place… »

Tokue poussa alors un éternuement puissant.

« Cette année, les rhumes sont tenaces », dit-elle en sortant un nouveau mouchoir, et elle se moucha. Puis elle laissa soudain échapper un rire. « Ça, c'est parce que depuis l'au-delà, il me demande de ne pas dire de mal de lui.

— Quoi ? » Sentarô ne comprenait pas. Tokue précisa :

« Mon mari. La dernière fois que j'ai gravi cette colline, je pleurais toute seule lorsque quelqu'un m'a adressé la parole. C'est celui qui est devenu mon mari.

— Ah… ! Et quel genre de personne était-ce ? » demanda Wakana.

Tokue se contenta de rire et répondit évasivement : « Quel genre de personne était-ce donc ? Je l'ignore encore. »

Elle se remit en route sur un sentier qui traversait la forêt.

On avait l'impression de s'être égaré dans l'antique forêt de Musashino tellement les arbres étaient nombreux ; les feuilles mortes formaient un épais tapis sur le sol. En se concentrant sur la végétation, on oubliait presque qu'on se trouvait dans l'enceinte du sanatorium, se dit Sentarô.

En se promenant, Tokue se remit à parler, comme assaillie par les souvenirs.

Sentarô et Wakana se contentaient de la suivre en silence.

« Comme il avait le cœur fragile de naissance, il n'a pas fait la guerre. Mais il travaillait. À votre avis, quel était son métier ? »

Alors ça… Sentarô pencha la tête, perplexe.

« Il travaillait dans une pâtisserie à Yokohama.

— Ah bon… mais alors…

— Oui. Mes connaissances en pâtisserie me viennent toutes de mon mari.

— Tout s'explique ! »

Pour la première fois depuis qu'il avait pénétré dans l'enceinte du Tenshôen, le ton de Sentarô était enjoué. À ses côtés, Wakana aussi lança : « Alors c'était ça ! »

« Il était grand, on aurait dit un cocotier. Quand il a compris qu'il était malade et qu'il a quitté la pâtisserie qui l'employait, il était décidé à mourir comme un chien, m'a-t-il dit. Il a sillonné tout le Japon comme un mendiant, paraît-il. Alors qu'il aurait mieux fait d'entrer le plus vite possible au sanatorium.

— Il avait sans doute envie de fuir. »

En scrutant le visage de Wakana qui venait de prononcer ces mots, Tokue prit un air légèrement embarrassé :

« C'est possible. Et alors, quand il a été amené ici, il était déjà très malade. Après notre mariage aussi, il se tordait de douleur. C'était un spectacle insoutenable. C'est que les nerfs étaient atteints, ça lui creusait un trou dans la main. Malgré tout, il ne s'en prenait que rarement à la société ou au bon Dieu. Il était très endurant.

— Pourquoi… il arrive des choses comme ça ? »

Tout en lançant un regard à Tokue, Sentarô demanda à Wakana ce qu'elle voulait dire.

« Eh bien, pourquoi le sort s'acharne-t-il sur un simple pâtissier ?

— C'est vrai, ça. »

En avançant lentement, Tokue répéta encore une fois : « C'est vrai. Tous ceux qui étaient enfermés ici se sont sûrement posé la question. Il s'est passé tellement de choses ; s'il y a vraiment un Dieu, cela donne envie de l'attraper pour lui mettre son poing dans la figure.

— Oui… certainement », répondit Sentarô.

Tokue hocha vivement la tête.

« Mais nous… nous nous acharnions à vivre. »

Elle s'immobilisa alors. Sentarô et Wakana l'imitèrent.

« Ici, autrefois, même pour un incendie, les pompiers n'intervenaient pas. Si un crime était commis, la police ne venait pas non plus. C'était comme ça. Les patients devaient tout prendre en main eux-mêmes, dans des associations de quartier, pour pouvoir vivre. Même pour l'argent : il existait une monnaie qui n'avait cours qu'ici.

— Jusqu'à l'argent ? »

Wakana était bouche bée.

« Donc, nous devions unir nos forces pour vivre, c'était la seule possibilité. Celle qui avait contracté la maladie lorsqu'elle était geisha cousait des kimonos à la main, donnait des leçons de poésie et de chant. Les anciens professeurs organisaient des classes pour enseigner aux enfants. Celui qui avait été coiffeur prenait ses ciseaux et coupait les cheveux. Voilà comment nous avons tenté de vivre tous ensemble. Nous avions un cercle de couture occidentale et un autre de couture japonaise, un de jardinage, et aussi une brigade de pompiers. »

Tokue se remit lentement en marche. De petites fleurs frémissaient au bord du chemin. Si l'on encadrait juste ce paysage, personne n'y verrait autre chose qu'une jolie forêt, songea Sentarô.

« Chacun avait une expérience ou une autre de la vie en société. Pour reprendre l'expression d'une geisha qui nous apprenait à porter le kimono : chacun en connaissait un rayon. Alors, sans la moindre hésitation, mon mari et moi, nous avons rejoint un cercle. »

Devant de graciles fleurs sauvages, Tokue se retourna.

« Nous avons intégré le cercle de pâtisserie.

— Ah bon, il y avait un cercle de pâtisserie ?

— Oui. Depuis longtemps, paraît-il. Au départ, c'étaient juste quelques personnes qui préparaient ensemble les gâteaux de riz pilé du jour de l'An ou les pâtisseries à l'armoise du printemps. C'est sûrement un ancien pâtissier envoyé ici qui l'a fondé.

— Voilà pourquoi cela fait cinquante ans que vous confectionnez de la pâte de haricots ! »

Sentarô frappa dans ses mains, l'énigme était enfin résolue.

« Pas seulement. Des pâtisseries occidentales, aussi.

— C'est pour ça que vous mettiez de la crème dans les *dorayaki*, remarqua gaiement Wakana.

— Exactement. »

Tokue rit.

« Le cercle de pâtisserie du Tenshôen... J'ai toujours fait des gâteaux. Parce que sinon, la vie était trop dure. Faire des gâteaux, c'était un défi, et un combat. »

Ahhh... Sentarô poussa un long soupir, les mots lui manquaient.

« Vous vous êtes donné bien de la peine.

— Oui, si on veut... », répondit Tokue, puis, un léger sourire aux lèvres, elle tendit vers lui un doigt de sa main infirme : « C'est vous qui vous êtes donné de la peine. »

La forêt avait laissé place à des arbrisseaux, le chemin s'achevait là.

Une pelouse tondue s'étendait, sur laquelle se dressait une tour en pierre.

« C'est l'endroit où repose mon mari », annonça Tokue.

Elle s'approcha de la tour à petits pas.

« Autrefois, quand il y avait un lépreux dans une famille, les autres membres étaient contraints de partir, la communauté les rejetait. Du coup, la grande majorité d'entre nous a été rayée de l'état civil familial. Tokue Yoshii, c'est un nouveau nom qu'on m'a donné ici.

— Comment ça ? »

Sentarô regarda Tokue, puis, instinctivement, Wakana. Celle-ci commença par détourner les yeux, puis elle le regarda en face.

« Vous ne portez pas votre vrai nom ?

— Non. En réalité, je m'appelle autrement.

— Eh bien ça alors… »

Sentarô s'interrompit, incapable de trouver les mots, et garda le silence. Comme Wakana. Tous trois s'arrêtèrent devant la tour en pierre.

« Ici, c'est le columbarium des gens décédés au Tenshôen.

— Le columbarium ? »

Wakana répéta le mot.

« Oui, parce que nous n'avons pas de tombes. Mon mari… Yoshiaki, lui aussi repose ici. Libéré de ses souffrances, sans doute qu'il rêve de *manjû*, ces petits gâteaux à la vapeur qu'il aimait tant. »

Tokue joignit les mains.

« Yoshiaki, aujourd'hui je suis venue avec de jeunes amis. »

Sentarô avait sous les yeux le dos frêle de Tokue. Il posa la cage à oiseaux et joignit les mains, imité par Wakana.

Un bulbul à oreillons bruns poussa un long cri ; comme en réponse, Marvy pépia.

« Vous savez… »

Tokue abaissa les mains.

« Nous sommes enfin libres de sortir d'ici… mais il ne nous est pas pour autant facile de rentrer chez nous. Ma mère et mes frères sont décédés. J'ai réussi à joindre ma sœur cadette, mais… comme je m'en doutais, elle m'a demandé de ne pas me manifester, je ne peux pas retourner là-bas. Personne n'a voulu de la dépouille de Yoshiaki. En tout, ce sont les ossements de plus de quatre mille personnes qui reposent ici. Quand la loi a changé, on a tous cru qu'on pourrait rentrer chez nous, cela a d'abord été une grande joie, mais une joie passagère. Cela fait maintenant plus de dix ans, et pratiquement personne ne s'est signalé. La société est toujours aussi implacable. »

Tokue fit cette remarque d'un air détaché, puis elle se tourna vers Wakana avec un sourire.

« Pardon d'avoir raconté tant d'histoires douloureuses aujourd'hui. Mais ça m'a fait du bien de pouvoir vous parler de tout cela. Merci de m'avoir écoutée. »

Wakana secoua vivement la tête et dit : « J'espère que vous nous en parlerez encore.

— Merci à vous aussi, Sentarô.

— Je vous en prie. En plus, c'est nous qui vous demandons de vous occuper du canari. Et puis… j'aurais un conseil à vous demander. Pensez-vous que je puisse revenir ? »

Après avoir hoché la tête une fois en direction de Sentarô, Tokue répondit : « Avec plaisir, mais… », laissant planer un léger doute.

Une large allée partait du columbarium. On apercevait au loin la silhouette de bâtiments, sans doute le magasin et les bains. Ils auraient pu venir directement par ce chemin ; Tokue avait peut-être fait exprès un détour par la forêt.

Pendant qu'ils regagnaient le centre de la résidence, Sentarô eut l'impression que quelque chose le retenait, et il se retourna.

La tour du columbarium se dressait là.

Avec, à l'intérieur, plus de quatre mille personnes toujours interdites de retour.

Sentarô se sentait fixement observé d'en haut.

19

Ce soir-là, Sentarô se coucha sans avoir bu.

Il frissonnait, il avait un peu de fièvre, semblait-il.

Emmitouflé dans sa couette, il revoyait le paysage du Tenshôen, comme s'il remontait le temps.

Le columbarium luisant sous les feux du crépuscule. Le sentier à travers la forêt. Les fleurs qui s'y épanouissaient. La petite colline de terre remblayée d'où rêver à son village natal. La femme qui était venue leur apporter des biscuits. Sentarô se rappela alors soudain que Tokue s'était mouchée.

La maladie de Hansen se propageait par les sécrétions nasales… elle l'avait dit.

Un doigt glacé parcourut son corps chaud et Sentarô se tordit.

Pourquoi ? s'interrogea-t-il.

Tokue était guérie depuis plus de quarante ans. Depuis si longtemps qu'on hésitait à la qualifier d'ancienne patiente. Alors qu'il le savait mieux que quiconque, pourquoi se mettait-il dans cet état ? D'où venait cette inquiétude ?

La petite allait-elle bien ? Pourvu qu'elle ne se sente pas mal…

En passant une main sur son front chaud, Sentarô repensa à Wakana.

Sur le chemin du retour du Tenshôen, elle avait gardé la tête basse. La journée les avait vraiment secoués, tous les deux.

Après avoir quitté Tokue, Sentarô et Wakana avaient également visité le centre de documentation sur la maladie de Hansen qui jouxtait le Tenshôen. Et ils avaient parcouru ce vaste espace sans échanger un mot, ou presque.

Toutes ces lamentations ensevelies dans le noir. Comment qualifier autrement ce à quoi ils avaient été confrontés ? Quant à savoir s'ils avaient bien fait, la réponse était oui, évidemment. Sentarô en était sincèrement convaincu. Bien qu'incapable d'expliquer clairement pourquoi, il sentait que le témoignage de ceux qui avaient subi une existence de souffrances l'avait enrichi. Mais ce témoignage avait aussi planté en lui le germe d'un vertige continu, qu'il garde les yeux ouverts ou fermés.

Parmi les pièces exposées figurait une photographie intitulée *Lecture avec la langue*.

C'était la photo d'un vieil homme ravagé par la maladie de Hansen, devenu aveugle et privé de sensibilité aux extrémités. S'il pouvait ouvrir un livre, le bout de ses doigts paralysés ne lui permettait pas de sentir les aspérités du braille. Donc, il léchait les signes avec sa langue. C'est ainsi qu'il lisait, en suivant chaque caractère du bout de la langue. Cette image, par exemple… la silhouette du vieil homme, le dos bien droit, en train de lécher un livre, hantait Sentarô.

Les photographies de ce genre étaient nombreuses au centre de documentation. Des hommes, un harmonica serré entre leurs mains sans doigts, qui faisaient de la musique ensemble. Un vieillard qui s'appliquait à faire de la poterie avec ses moignons.

Jusqu'à présent, Sentarô n'avait absolument rien eu en commun avec ces gens. Et pourtant, ils s'étaient maintenant glissés en lui, s'adressaient à lui dans un murmure, le regardaient d'un air embarrassé. Cela faisait souffrir Sentarô, le corps plié en deux. Il exhalait une haleine fiévreuse.

Il pensa au chemin dans la forêt.

Combien de personnes avaient parcouru ce sentier au cœur des arbres ? Cette haie de houx qui les coupait de tout, dans quel état d'esprit l'avaicnt-ils contemplée ?

Sans doute étaient-ils à des lieues du sentiment de défaite que lui-même avait éprouvé autrefois, derrière les barreaux. Lui était coupable. Pas eux. Pourtant son emprisonnement avait été temporaire. Pourtant une loi avait interdit aux lépreux de sortir durant leur vie entière.

À leur place, qu'aurait-il pensé en arpentant ces lieux ? Une immense colère aurait-elle couvé en lui ? Ou plutôt la détermination à tout oublier ? À force d'y réfléchir, Sentarô finit par se retrouver en train de fouler lui-même le sentier. Il avançait en direction des profondeurs de la forêt.

Au bout d'un moment apparut une petite trouée à la pelouse tondue. Dans un coin se tenait une jeune fille vêtue d'un fruste kimono doublé.

Sentarô réalisa immédiatement de qui il s'agissait.

Une fillette de quatorze ans, arrivée ici sans savoir de quelle maladie elle souffrait.

C'était Tokue, qui avait pleuré tant et plus, pleuré jusqu'à ce que ses larmes se tarissent.

Debout derrière elle, Sentarô cherchait les mots pour la consoler. Mais il savait que rien ne pourrait la réconforter.

Dans quel état d'esprit se trouvait-elle… anxieuse de voir peut-être son visage se décomposer, condamnée à ne plus franchir cette haie de toute sa vie, où pouvait-elle dorénavant puiser de l'espoir ?

Sentarô restait planté là, les yeux dans le dos de la jeune fille.

Si quelqu'un lui avait voulu du mal, cela n'aurait pas duré éternellement. Il était possible d'y échapper. Même si le monde entier s'était ligué contre elle, les temps auraient changé et elle aurait pu marcher tête haute, un jour. Mais celui qui s'était acharné sur cette vie éclose seulement quatorze ans plus tôt…

À cet instant, Sentarô crut étouffer.

Oui. Celui qui lui avait continuellement susurré, toi, tu aurais mieux fait de ne pas naître… Celui qui avait mené la danse… c'était Dieu.

Tu souffriras ta vie entière, avait-Il tranché.

Quand elle l'avait compris, comment Tokue avait-elle envisagé son existence ? Qu'avait-elle pensé de la vie ?

Une fillette de quatorze ans qui pleurait en étouffant ses sanglots.

Incapable de s'approcher davantage, Sentarô rebroussa discrètement chemin sur le sentier dans la forêt.

20

La bise se mit à souffler.

Le cerisier devant la boutique oscillait, faisant danser les quelques feuilles qui lui restaient. Dans la rue, les passants étaient emmitouflés dans leur manteau, une écharpe enroulée autour du cou.

Il s'était déjà écoulé plus d'un mois depuis le départ de Tokue. L'année se terminait.

Le chiffre d'affaires ne bougeait pas. Il restait bas. La propriétaire, qui venait maintenant souvent, se mit à dire, devant le livre de comptes : « On ne passera pas l'année. »

Il faisait un froid glacial, à l'intérieur comme à l'extérieur. Malgré tout, la pâte de haricots confits de Sentarô semblait évoluer dans le bon sens. Plusieurs clients lui en avaient fait la remarque : « La pâte est de nouveau meilleure. »

Ces derniers temps, Sentarô buvait moins. Et il s'était remis à préparer la garniture tôt le matin. Il s'efforçait, dans la mesure du possible, d'appliquer la méthode de Tokue, maniant la bassine de cuivre en prêtant attention à la force du feu, à la quantité d'eau, à la durée des opérations. Certains jours, il lui semblait s'approcher de la pâte de son maître.

Seulement, cela ne suffisait pas à redresser la situation, les choses n'étaient pas si simples. Dans le commerce, on disait que quelle que soit la raison, les clients perdus ne revenaient pas. Sentarô en faisait l'expérience directe. Même la propriétaire disait : « On ferait peut-être mieux de carrément fermer la boutique de *dorayaki* et de se lancer dans les *okonomiyaki*, par exemple. » Jusqu'à il y a peu encore, Sentarô aurait peut-être approuvé, pourquoi pas. Mais le Sentarô d'aujourd'hui, avec amabilité, mais aussi toute la fermeté dont il était capable, secouait la tête.

Alors qu'il avait tellement voulu quitter cette plaque chauffante, il ne pouvait se résoudre à la disparition de Doraharu. Pourquoi ? Il n'aurait su le dire. Mais il était déterminé à éviter la fermeture de la boutique dans ces circonstances.

Un jour où il tombait une pluie froide depuis le matin, il trouva une enveloppe dans la boîte aux lettres de la boutique. Lorsqu'il releva le visage, une fois les préparatifs achevés, elle émergeait de la fente du rideau de fer. Sur l'enveloppe figurait une écriture connue.

Cher monsieur Tsujii, patron de Doraharu,

Permettez-moi de me dispenser des formalités épistolaires habituelles. Comment allez-vous ? Il fait froid maintenant, l'hiver est bien installé. J'ai encore ce rhume qui n'en finit pas. Je passe mes journées à me coucher et à me relever.

Dites-moi, comment se porte Doraharu, ces jours-ci ? Vous n'auriez pas le moral en berne, par hasard ? J'en ai la vague impression.

Respirer le parfum du vent, tendre l'oreille au bruissement des arbres figurent parmi les choses qui nous sont accessibles au Tenshôen. Voilà déjà plus de soixante ans que je m'y exerce, que j'écoute les mots de ceux qui n'ont pas la parole. J'appelle cela être « à l'écoute ».

Quand je faisais cuire la pâte de haricots, vous me demandiez souvent ce que je fabriquais, n'est-ce pas ? Vous me demandiez si j'entendais quelque chose, le visage tout près des haricots azuki*. Je n'aurais pas su quoi vous dire, si ce n'est que j'étais « à l'écoute », mais il me semblait qu'une telle réponse vous aurait perdu, alors j'ai préféré rester vague.*

Il s'agit de bien observer la mine des haricots azuki*. De s'ouvrir à ce qu'ils ont à nous dire. C'est, par exemple, imaginer les jours de pluie et de beau temps qu'ils ont connus. Écouter l'histoire de leur voyage, des vents qui les ont portés jusqu'à nous.*

Je suis convaincue que chaque chose ici-bas est douée de parole. À mon avis, on peut prêter l'oreille à tout, aux passants dans la rue devant la boutique bien entendu, à tout ce qui est vivant, et même aux rayons de soleil et au vent. Pour vous, j'étais peut-être une vieille femme moralisatrice, mais, malgré toutes mes paroles, je garde le regret de n'avoir pas su vous transmettre l'essentiel.

Aujourd'hui encore, en marchant dans la forêt du Tenshôen, je pense à Doraharu, à vous et aux jeunes filles de la clientèle, à Wakana par exemple. Mes liens avec ma sœur cadette sont rompus, je n'ai presque plus de proches en ce bas monde. J'ignore combien de temps il me reste à vivre, et Wakana et vous, Sentarô, vous êtes comme une famille pour moi.

Est-ce pour cela ? Quand je pense à vous, le vent qui m'arrive après avoir franchi la haie de houx me paraît chargé d'un murmure inquiétant... c'est un pressentiment, mais il m'a semblé qu'il m'invitait à vous écrire.

Une rumeur a sans doute couru à mon propos. Cette situation embarrassante ne serait-elle pas toujours d'actualité ? Si c'est le cas, c'est que j'ai trop tardé à partir. J'ai beau vivre en me croyant innocente, il m'arrive d'être broyée par l'incompréhension des gens. Il faut parfois faire preuve de discernement. Cela aussi, j'aurais dû vous le dire.

Seulement, dans l'immédiat, vous comme moi, nous devons triompher de cette situation. Rien ne sert de se lamenter. En tant qu'artisan pâtissier, vous devez surmonter cette mauvaise passe !

Un jour ou l'autre, sur une idée qui vous appartiendra, vous créerez vos propres dorayaki. *J'ai certes longtemps confectionné de la pâte* an, *mais je crois que vous n'avez pas besoin de procéder de la même façon que moi. Ces choses-là, c'est une question d'audace. Si vous pouvez affirmer que ça, c'est vos* dorayaki, *des jours nouveaux s'ouvriront alors à vous, me semble-t-il. Trouvez votre propre voie ! C'est en votre pouvoir, j'en suis certaine.*

P.-S. Marvy est en forme. Il adore les légumes verts et mange une feuille de salade par jour. Simplement, ce qui me tracasse, c'est qu'il dit avoir envie de sortir bientôt. Que faire ? Revenez me voir avec Wakana. Nous en parlerons à ce moment-là.

Tokue Yoshii

Sentarô, oubliant même d'allumer la plaque chauffante, lut et relut la lettre de Tokue. Son écriture caractéristique, ondoyant à la manière des vagues. Sa voix s'élevait de chaque signe. Comme si elle se tenait tout près de lui.

De toute façon, les clients étaient rares. Sentarô courut jusqu'à la supérette acheter du papier à lettres.

Chère madame Yoshii,

Merci d'avoir pris la peine de m'écrire, alors que le rhume vous affaiblit. À la boutique, j'ai relu votre lettre plusieurs fois. Voilà bien longtemps que rien ne m'avait donné autant de courage.

Être « à l'écoute », c'est une belle expression.

Voilà donc pourquoi vous approchiez votre visage des haricots azuki. *J'étais persuadé que, forte de vos cinquante années d'expérience, vous examiniez chaque grain avec attention afin d'en optimiser le potentiel. La puissance de la flamme, le nombre de rinçages, tout cela me semblait relever des lois de la physique. Mais jamais il ne me serait venu à l'esprit que vous tentiez de capter jusqu'au murmure des haricots* azuki, *de savoir où ils étaient nés, où ils avaient grandi.*

Si quelqu'un d'autre que vous m'avait raconté cela, je ne l'aurais peut-être pas cru. Parce que jamais encore je n'ai « écouté » de la sorte. Je ne vous l'ai pas dit, mais j'ai vécu sans même être à l'écoute de ma propre mère.

Pour une autre raison que vous, j'ai vécu à l'écart de la société durant un temps. Je me suis donné pour règle de ne pas en parler, mais il me semble qu'à vous, je peux le dire. C'était quelques années avant que je vienne aider à Doraharu, j'ai enfreint la loi sans véritable raison. Résultat, je me suis retrouvé derrière les barreaux, à regarder un morceau de ciel entre quatre murs exigus.

Ma mère est venue me rendre visite à plusieurs reprises. Nous restions toujours silencieux, sans échanger plus de deux ou trois mots. Elle est décédée avant que je sois libéré. Quand mon père l'a trouvée, elle était déjà morte. C'était une hémorragie cérébrale.

Pour ce qui est de m'excuser, je l'ai bien entendu fait auprès de ma mère. Mais comme c'était une période où nous parlions peu, je n'ai rien pu lui dire d'autre, ni l'écouter. J'en souffre aujourd'hui encore, j'ai parfois l'impression que mon cœur va se briser. J'ai sacrifié jusqu'à ma mère et je continue à vivre, comme un bon à rien.

Pardonnez-moi de ne parler que de moi. Je suis comme ça.

Mais grâce aux jours passés à préparer de la pâte de haricots en votre compagnie, j'ai peut-être un peu changé. J'éprouve maintenant pour Doraharu, que j'entendais quitter une fois ma dette remboursée, un attachement qui m'échappe. C'est vous qui êtes à l'origine de ce changement. C'est pourquoi je crois en votre perception des choses. J'en suis encore dépourvu, mais cette sensibilité qui attribue la parole à toutes choses me plaît.

À Doraharu, la lutte continue. Certains clients me font des compliments, mais ma pâte de haricots est encore loin d'attirer la clientèle. Honnêtement, la situation ne tient qu'à un fil. Mon angoisse devant cette impasse vous serait-elle parvenue, portée par le vent ?

Lors de ma dernière visite, je voulais vous demander un autre service, en plus du canari. Mais ce que j'ai vu et entendu ce jour-là était tellement puissant que je ne suis pas parvenu à vous en parler.

Alors que je devrais m'inquiéter de vous qui êtes enrhumée, c'est de ma petite personne que je me préoccupe. Mais j'ai encore à apprendre de vous. En vous imitant, je suis arrivé à confectionner une pâte de haricots acceptable. Mais après, en ce qui concerne mes propres dorayaki, *je suis complètement perdu, je ne vois pas comment faire ni dans quelle direction avancer.*

Comme vous le dites, si j'arrivais à concevoir des dorayaki *originaux, peut-être les jours où les clients faisaient la queue reviendraient-ils. Ainsi Doraharu serait sans doute sauvé et pour moi aussi, cela constituerait un tournant, je crois. Il me manque encore quelque chose. Et cela, j'ai le pressentiment que si j'en apprenais un peu plus de vous sur la pâtisserie en général, je le découvrirais peut-être. Permettez-moi, je vous en prie, de vous rendre encore visite au Tenshôen.*

En ce qui concerne le canari, j'en parlerai à Wakana. Seulement, comme elle est en classe de troisième, elle doit être occupée par la préparation de ses examens en ce moment. Quand pourrons-nous aller ensemble au Tenshôen ? Je ne peux rien vous promettre pour l'heure, mais quoi qu'il en soit, dès que j'en aurai le temps, j'irai vous rendre visite, même seul. Ce jour-là, nous parlerons de tout cela, si vous le voulez bien.

J'espère que votre rhume ne s'aggravera pas plus.

Pardon de vous avoir montré uniquement mes mauvais côtés.

Le froid s'est vraiment installé. Prenez bien soin de vous.

Sentarô Tsujii

21

Une nouvelle année débuta.

Les trois premiers jours du Nouvel An s'écoulèrent sans une seule journée de beau temps, il tombait une pluie mêlée de neige.

Sentarô n'avait pas fermé la boutique. À quoi bon boire seul le saké épicé du Nouvel An ? Il s'attela à la confection de la pâte de haricots alors qu'il faisait encore nuit. Puis il ouvrit tôt le rideau de fer. Les gens du quartier allaient prier au sanctuaire de l'autre côté de la gare. Il avait ouvert en pariant sur cette affluence.

Mais le chiffre d'affaires n'était pas brillant. À peine l'année entamée, la propriétaire venue consulter le livre de comptes avait murmuré « On va changer de produit », et poussé un gros soupir, visiblement forcé. Lorsqu'elle avait commencé à vouloir vendre des *okonomiyaki*, ce n'était peut-être qu'une idée qui lui était passée par la tête, mais, à force d'en parler, son choix semblait s'être arrêté sur ces galettes salées. Elle s'enquit de savoir si Sentarô accepterait de continuer à travailler dans ces conditions.

Il n'acquiesça pas.

« Tenons bon avec les *dorayaki*. C'était le choix du patron. Et puis, je vous dois encore de l'argent. »

La propriétaire esquissa un hochement de tête et pinça les lèvres, les commissures baissées.

« Du moment que le commerce marche, on peut vendre n'importe quoi. Il s'agit de gagner sa vie, c'est tout. »

Bien entendu, en un sens, elle avait raison, songea Sentarô. Mais dans le fond, il n'était pas d'accord.

La boutique ne marchait pas malgré tous ses efforts ; c'était ça, le commerce. Mais quel que soit le magasin, il doutait qu'on puisse faire tourner l'affaire comme ça, avec n'importe quel produit.

Et puis, il y avait autre chose. Quelque chose qui lui tenait à cœur.

S'il ne prenait pas la relève maintenant, le savoir-faire de Tokue disparaîtrait de ce monde. Et ce savoir-faire, c'était aussi la trace de l'existence d'une femme nommée Tokue Yoshii.

C'est après la mi-janvier, un jour où Sentarô avait longuement ferraillé avec la propriétaire sur l'avenir de la boutique, qu'il reçut justement une carte de vœux tardive de Tokue. Dans la tête de la propriétaire, on aurait dit que les *dorayaki* n'existaient plus. Comme toujours, Sentarô plaida pour encore un peu de patience, mais sans pouvoir expliquer ses raisons.

Bien entendu, en son for intérieur, lui aussi était irrité. Lorsqu'il se remémorait le visage des clients qui ne venaient plus, il avait envie de leur crier dessus.

Mais la vue de cette écriture caractéristique sur la carte postale dans sa main le rasséréna quelque peu. La carte indiquait que Tokue, malade, avait passé les fêtes au lit. De ce fait, elle n'avait pu lui envoyer de carte de vœux et s'en excusait. Elle lui écrivait également « *Je suis enfin guérie* », et ajoutait ceci : « *Si vous le voulez bien, venez une nouvelle fois me voir au Tenshôen. À cette occasion, Mme Moriyama et moi ferons renaître le cercle de pâtisserie.* »

Seul dans la cuisine, Sentarô répondit : « J'irai vous voir. De toute façon, il n'y a pas une foule de clients, alors… »

Le même calme régnait au Tenshôen. Peut-être à cause des arbres dépouillés de leurs feuilles, il sembla à Sentarô que le silence était encore plus profond. Malgré le ciel dégagé, un vent particulièrement glacial balayait la résidence.

Sentarô prit le même chemin que la fois précédente, en direction du magasin où le rendez-vous avait été fixé. Il ne croisa personne. Il avançait silencieusement dans l'allée déserte. Et quand il franchit l'entrée du magasin, il s'immobilisa.

« Madame Yoshii… »

Mme Moriyama, qui leur avait offert des tuiles, se tenait au côté de Tokue. Sentarô, s'efforçant de ne pas montrer son trouble, lança « Bonjour, cela fait longtemps que nous ne nous sommes pas vus », en s'approchant de leur table.

Ce qui l'avait frappé, c'était la métamorphose de Tokue.

Cela ne faisait qu'un mois qu'il ne l'avait pas vue, et pourtant elle avait tellement changé que des années semblaient s'être écoulées. Tokue lui adressa un sourire, mais ses yeux étaient enfoncés dans ses orbites, ses joues terriblement creuses.

« Madame Yoshii, votre rhume vous a épuisée, dirait-on.

— Oh oui. Ça a été terrible. Je ne pouvais plus rien manger… »

Tokue gratta de ses doigts crochus sa tête aux cheveux blancs floconneux comme l'écorce d'un palmier.

« Elle a été très faible pendant un temps. À un moment, j'ai même cru que j'allais devoir vous contacter. »

Mme Moriyama, de son visage marqué par les séquelles, imita Tokue affaiblie. « Elle ressemblait un peu à un tableau de Munch.

— Arrête ! Puisque je suis enfin guérie.

— Pardon. Tu sais, j'ai cru que tu allais suivre ton mari là-bas.

— Pas encore ! Parce que je dois apprendre au patron à confectionner la pâte de haricots de notre cercle de pâtisserie. »

Bien qu'émaciée, Tokue s'exprimait avec une vivacité étonnante.

« Vous êtes vraiment guérie ? »

Sentarô scruta le visage de Tokue, qui agita la main comme pour détourner son regard.

« Oui, ça va. Même si le Nouvel An a été dur et que je suis restée au lit.

— Je suis désolé de ne pas avoir été là pour vous à ce moment-là.

— Ne vous en faites pas. Ça me fait plaisir que vous veniez maintenant. »

Comme par égard pour Sentarô et Tokue, Mme Moriyama quitta la table. Puis elle revint, chargée d'un plateau.

« Voilà ! »

Sur le plateau étaient posés trois bols, dont s'échappait un nuage de vapeur.

« Je les ai fait réchauffer au four à micro-ondes, là-bas.

— Ah, ça… On refait le jour de l'An », dit Tokue.

Elle joignit les mains. La voix de Mme Moriyama aussi se fit plus enjouée :

« C'est le *zenzai* spécial du cercle de pâtisserie. »

Dans les bols, la fameuse soupe de haricots fondants luisait. Les haricots *azuki* brillaient, alignés en bon ordre. Un profond parfum sucré se répandit avec la vapeur d'eau, qui parut envelopper jusqu'aux tables environnantes. Une voix s'éleva d'une autre table : « Oh là là, ça fait envie. »

« Servez-vous, je vous en prie. »

Mme Moriyama posa un bol devant Sentarô.

« Mangez tant que c'est chaud. C'est bon même quand on n'aime pas le sucre. »

Tokue aussi l'invita à y goûter. Il fallait l'avouer, Sentarô n'avait encore jamais avalé un bol entier de *zenzai*. Mais à la première bouchée, son visage se détendit tout seul.

« C'est bon… »

Les mots lui avaient échappé. Le sucre apaisa la tension dans ses pommettes et son cou, puis une sorte de soulagement envahit ses joues.

« Tokue, n'oublie pas.

— Ah, oui. Tenez, ça aussi. »

Tokue, qui scrutait Sentarô, tira de son sac un sachet en plastique. Elle en déposa le contenu sur une petite assiette.

« Elles sont bonnes, vous savez, les algues kombu salées de Tokue. Faites maison.

— Des kombus au sel ? »

Mme Moriyama dit « Ça, c'est incontournable… » et en grignota une pincée. « Vraiment, ça se marie bien avec », ajouta-t-elle pour elle-même en hochant la tête.

Sentarô se servit aussi. C'étaient des algues kombu salées, coupées en lamelles. Moelleuses en bouche, elles dégageaient un parfum de prune qui venait caresser le fond du nez.

« Ah ! de la prune…

— Oui. J'utilise de la prune et du perilla.

— Ça alors ! s'exclama Sentarô en reprenant une bouchée de *zenzai*. C'est incroyable… »

Il dévisagea les deux femmes.

« Ces plats, la soupe sucrée et l'algue, comment les prépare-t-on ? »

Tout en sachant pertinemment que la réponse ne tenait pas en un mot, Sentarô avait posé la question. C'était pour lui la seule façon d'exprimer ses sentiments. Un rire échappa à Tokue.

« Ce n'est pas si compliqué que cela. Ça fait partie des traditions de notre cercle de pâtisserie… On en sert tous les ans, pour le jour de l'An.

— Exactement. Cette année, comme Tokue était alitée, c'est moi qui ai tant bien que mal préparé le *zenzai*, mais j'ai acheté les kombus au sel dans le commerce. Comme vous deviez venir aujourd'hui, Tokue s'est enfin décidée à cuisiner.

— Merci », dit Sentarô.

Il se rendit compte qu'il était sur le point de finir son bol.

« Vraiment… c'est la première fois que je mange un *zenzai* comme celui-là.

— Tu dois être contente, Tokue. Il a l'air d'apprécier.

— C'est que, le sucre est tellement discret… la saveur salée de l'algue confite s'épanouit exactement comme une fleur.

— Le *zenzai* aussi est salé, vous savez. Mais, puisqu'il y a les algues, j'y mets juste un soupçon de sel, presque indiscernable. »

Tokue goûta enfin elle-même à la soupe sucrée. Ses yeux se perdirent dans le lointain, puis ses joues hâves se détendirent et elle sourit.

« C'est juste le bon équilibre. »

Sentarô et Mme Moriyama acquiescèrent vigoureusement.

« Sentarô ?

— Oui ? »

Tokue reposa son bol et regarda Sentarô droit dans les yeux.

« Ma pâte de haricots, elle est sans doute un tout petit peu salée.

— Oui, c'est vrai.

— Inversement… Tenez, la pâte que vous utilisiez à la boutique. Celle-là, au contraire…

— La pâte fabriquée en Chine… Oui, tout à fait.

— C'est pour cela qu'elle était fade, je la trouvais sirupeuse, moi. »

C'était vrai.

On aurait pu estimer qu'il s'agissait d'une question de goût, l'affaire aurait été classée, mais, pour Sentarô, c'étaient toujours les garnitures qui ne contenaient pas de sel qui l'écœuraient au bout d'une ou deux bouchées.

« Je crois que pour les hommes qui apprécient l'alcool, comme vous, une pâte de haricots légèrement salée est plus adaptée.

— Ah, c'est pour ça que…

— Vous qui n'aimez pas tellement les aliments sucrés, si vous arrivez à manger un peu de ma pâte de haricots, c'est certainement grâce au sel.

— Non, madame Yoshii, c'est parce que vous êtes douée pour préparer les haricots *azuki*.

— Mais si elle n'était pas du tout salée, vous peineriez sans doute à l'avaler.

— C'est possible. »

Mme Moriyama dit : « C'est pareil pour les gens ici » en regardant autour d'elle.

« Quand c'est pour des hommes, on a davantage de succès en salant un peu plus. »

Tokue reprit :

« Dites-moi. Entre le *an* habituel et le *zenzai* d'aujourd'hui, à votre avis, lequel est le plus salé ?

— Pardon ? »

Sentarô, déconcerté, pencha la tête en signe d'incompréhension, mais, pendant qu'il réfléchissait, son regard se posa sur l'assiette d'algues kombu au sel.

« Le *zenzai*, je dirais. Parce qu'on a mangé les algues salées avec.

— Oui, c'est une énorme différence. C'est pour cela que vous avez réussi à avaler un bol entier.

— Parce que j'aime bien picoler.

— De la pâte de haricots salée, vous n'avez pas trop de difficulté à en manger.

— C'est ça.

— Mais quand vous confectionnez la pâte de haricots, vous n'y mettez pas des tonnes de sel, n'est-ce pas ?

— Non, parce que si on sale trop, ça tue tout le reste.

— Dans ce cas, et le *zenzai* d'aujourd'hui ? L'algue kombu confite au sel, c'est drôlement salé, vous savez.

— Euh… Que voulez-vous dire ? »

Tokue avait l'air épuisée, mais ses yeux creusés étaient malicieux. Mme Moriyama, silencieuse, la regardait.

« Quand on prépare la pâte de haricots, on y met une infime quantité de sel. Mais le *zenzai*, lui, on le marie avec de l'algue confite, quelque chose de franchement salé. Dans ce cas, si, pour préparer vos *dorayaki*, vous essayiez d'utiliser le sel dans une optique nouvelle ? Il me semble qu'il s'agirait d'une formule inédite, celle des gens qui aiment boire, comme vous. »

Mme Moriyama frappa dans ses mains.

« Ça existe, c'est vrai. Les *manjû* au sel, et les *daifuku* au sel. Il faut prendre le contre-pied des choses.

— Ah, vous voulez dire… un *dorayaki* au sel ?

— Parfois, il est bon d'agir à sa guise, je crois. »

Ahhh… Mme Moriyama exhala un long soupir et tapa sur la table, admirative.

« Elle a toujours été comme ça. Tokue, en un mot, c'est la créative du cercle de pâtisserie.

— Je fais marcher les méninges que je n'ai pas, c'est tout. »

Mme Moriyama se pencha par-dessus la table.

« En général, Tokue, elle voit juste. Alors là, il ne vous reste qu'une chose à faire, c'est confectionner ces *dorayaki* au sel.

— Des *dorayaki* au sel ?

— Ça aura du succès. »

Mme Moriyama était catégorique. Tokue aussi acquiesça d'un hochement de tête.

Sentarô s'inclina devant les deux femmes.

« Eh bien, merci pour le *zenzai*. Et pour cette nouvelle idée, aussi. Comme toujours, je ne sais comment vous remercier.

— Laissez, c'est juste une idée qui m'est venue. Dites-moi plutôt… »

Tokue, après avoir regardé Mme Moriyama, tourna de nouveau ses yeux caves vers Sentarô. Mme Moriyama déposa les bols sur le plateau et se leva, « Je vais faire la vaisselle ».

Tokue parla à voix basse :

« Je n'ai pas l'intention de vous questionner plus avant ici, mais… merci de vous être ouvert à moi.

— Hum. »

Comprenant de quoi il était question, Sentarô s'inclina en silence.

« Je suis désolée pour votre mère.
— Merci.
— Votre père est encore de ce monde ? »
Sentarô hocha la tête sans rien dire.
« Alors, vous devriez aller le voir.
— Je n'arrive pas à trouver l'occasion.
— Vraiment ?
— Tout est de ma faute. En particulier, vis-à-vis de ma mère, ce que j'ai fait est irréversible…
— Mais vous avez purgé votre peine, n'est-ce pas ?
— Oui.
— Dans ce cas, repartez de zéro. »
Sentarô, incapable de regarder Tokue en face, gardait les yeux baissés sur la table et la soucoupe d'algues kombu au sel.
« Comment faire pour repartir de zéro ? Je n'arrête pas d'y penser… L'ancien patron m'a repêché et je me suis retrouvé dans cette cuisine, mais… chaque jour, je ne pensais qu'à prendre le large.
— Bah oui, parce que les choses sucrées, ce n'est pas votre fort.
— Oui. Mais… »
Sentarô prit alors une inspiration.
« Mais maintenant, je veux continuer à tenir la boutique. À ma façon.
— Tout à fait. Vous arriverez à créer vos propres *dorayaki*, j'en suis convaincue. Et puis…
— Oui ?
— Pour être franche, en ce qui concerne la préparation de la pâte de haricots, je n'ai plus rien à vous apprendre. Alors, désormais, faites comme

vous l'entendez. Ayez confiance en vous et foncez. »

Tokue, ses yeux creusés mouillés de larmes, ajouta : « Je suis sûre que vous y arriverez. »

22

Des *dorayaki* au sel.

Le nom était venu aisément, mais en faire un produit s'avérait plus compliqué.

Sel *amashio* d'Akô, sel *yanbaru* d'Iejima, Sentarô se fit livrer par son fournisseur des marques réputées. Mais, en amont de la question de la qualité du sel, comment et où l'utiliser dans les *dorayaki* pour obtenir une nouvelle pâtisserie japonaise ? Il n'en avait pas la moindre idée.

Pour commencer, il essaya simplement d'augmenter la quantité de sel dans la pâte de haricots. Normalement, même quand il en confectionnait quatre kilos, il n'ajoutait qu'une pincée de sel, environ un gramme tout au plus. Il passa à deux grammes, puis trois.

Et alors, quelque chose d'étrange se produisit.

Pour Sentarô, habituellement, la pointe de sel dans la saveur sucrée était pareille à une fleur aquatique flottant au fil du courant. Le sucre ne parvenait pas à la masquer totalement, mais elle restait néanmoins fugace. C'était cela qui était rafraîchissant. Mais cette sensation ne valait que lorsque la quantité de sel était vraiment infime. Quand on en mettait un peu plus…

concrètement, en ajoutant plus de trois grammes de sel pour quatre kilos de garniture, elle s'alourdissait soudain. Elle était inutilisable. De la même façon qu'une soupe trop salée est immangeable, au-delà de la dose correcte de sel, il n'était plus question d'en servir à la clientèle.

Bref, pour ce qui était de saler la préparation, Sentarô aurait beau se décarcasser, la technique actuelle était la seule envisageable. Confectionner la pâte de haricots en y ajoutant une minuscule pincée de sel. Il ne pouvait pas faire mieux, et cela semblait être la seule solution.

Alors, comment procéder ? De toute évidence, il ne restait qu'à travailler sur les pancakes. Au moment de mélanger les ingrédients, Sentarô fit l'expérience de rajouter du sel.

Il avait gardé les proportions de base aux trois tiers, comme jusqu'à présent. Il mélangea le sucre, la farine et les œufs en proportions strictement égales au poids des œufs encore dans leur coquille. À quoi il ajouta du bicarbonate de sodium en guise de levure, du miel, du saké doux et une pointe de thé vert en poudre pour donner du goût. Il saupoudra le tout de sel.

Il répartit la pâte dans plusieurs petits saladiers, dans lesquels il varia légèrement la quantité de sel. En modulant la teneur en sel, il fit cuire plusieurs sortes de pâtes. C'est alors que, par hasard, la propriétaire passa le voir sur le chemin du retour de l'hôpital. Après avoir examiné les résultats des derniers jours dans le livre de comptes, elle émit un claquement de langue : « C'est navrant. » Sentarô répondit : « Je suis en train de tester une nouveauté. »

Par peur du sucre, la propriétaire évitait les *dorayaki*. Mais, peut-être intriguée par l'annonce de Sentarô, elle tendit la main pour la première fois depuis longtemps, « Faites voir… C'est salé, non ? »

Sa réaction était franche.

« Oui, parce que c'est un *dorayaki* au sel.

— Comment dire… Ça donne soif.

— Il y en a aussi des moins salés.

— Ça fait pauvre. »

Pauvre ?

Un peu surpris par ce mot, Sentarô aussi goûta une bouchée du *dorayaki* qu'il venait juste de préparer. Il le mastiqua lentement, le dégusta.

« Vous trouvez ? C'est plutôt pas mal, non ? »

C'était son sentiment, sans fard. Il avait l'impression d'avoir touché du doigt quelque chose de nouveau. La pâte censée être légèrement sucrée déployait une franche saveur salée, c'était surprenant. Mais, au bout de deux ou trois bouchées, Sentarô comprit peu à peu ce que voulait dire la propriétaire. Contrairement aux premières saveurs, le sel laissait en bouche un goût tenace. En même temps, la rondeur de la pâte s'évanouissait. L'artifice manquait de subtilité.

« En effet… »

Lorsqu'il eut fini son *dorayaki*, Sentarô regarda la propriétaire.

« Ça ne donne pas vraiment envie d'en manger un autre.

— Ça pourrait attirer l'attention des clients. Vous pouvez en vendre, pour voir. »

La voix de la propriétaire était maussade. Aux oreilles de Sentarô, cela sonnait comme si elle avait dit : « Je ne suis pas d'accord. »

Malgré tout, cela ne changeait rien au fait que Doraharu était en péril. Sans une nouvelle idée, il n'y aurait pas de lendemain.

« Je ne cesse de le répéter, mais on ne peut pas continuer ainsi. Il me semble qu'il est grand temps de renoncer aux *dorayaki.* »

En prime de sa rengaine habituelle, la propriétaire enfonça un peu plus le clou. En désignant la rue du doigt, elle ajouta : « Quand ce cerisier fleurira, je veux qu'on reparte sur de nouvelles bases. Qu'en pensez-vous, Sentarô ? On fait table rase de tout ça et on se lance dans les *okonomiyaki*, ça vous dirait ? Ou alors dans les brochettes *yakitori*, par exemple ? Pouvoir servir de l'alcool vous conviendrait mieux aussi, n'est-ce pas ?

— Non, comme je vous l'ai déjà dit, je suis d'avis de ne pas renoncer aux *dorayaki*.

— Mais dans les faits, la clientèle ne suit pas, voyez-vous. »

Ça, c'est parce qu'il y a eu cette histoire avec Mme Yoshii…, faillit dire Sentarô, mais il ravala précipitamment ses paroles.

« C'est-à-dire, vous ne voudriez pas patienter encore un peu ?

— Patienter, patienter…

— Puisque vous avez de quoi financer des rénovations et ouvrir une nouvelle boutique, vous ne voulez pas parier de nouveau sur les *dorayaki* ?

— Vous êtes bizarre, Sentarô. Vous n'aviez pourtant pas le moindre goût pour les *dorayaki*. Tout ce qui vous lie à nous, c'est votre dette, je le sais bien. Alors pourquoi, maintenant, faites-vous mine de vous décarcasser à ce point ? En se lançant dans les *okonomiyaki*, on pourrait servir de l'alcool, ce serait bien mieux pour vous aussi, non ? Pourquoi vous accrocher maintenant aux *dorayaki* ?

— Euh... je ne sais pas.

— Et puis... Si je dois rénover et repartir de zéro, c'est justement maintenant.

— Pourquoi ?

— Parce que des économies, il ne m'en reste plus beaucoup. Il suffirait d'un mauvais calcul pour que je doive sans doute me séparer de ce commerce. Vous comprenez ? Pour le coup, ce serait trahir mon mari. Si je n'agis pas tant que j'ai encore de la marge, je serai acculée et ça sera la fin. Et vous, que ferez-vous ? »

Elle poursuivit :

« Et en plus, tout ça pour quoi ? Des *dorayaki* au sel.

— Mais... »

Elle reprit une bouchée du *dorayaki* délaissé après l'avoir entamé.

« Froid, ça a encore plus le goût de sel. Goûtez-y donc. »

À son invite, Sentarô mangea le morceau que la propriétaire lui tendait. Effectivement, la sensation était différente de quand il était tiède. Le sel ressortait plus qu'il n'était nécessaire.

« Que vous vous efforciez de mettre au point une nouveauté, je vous en suis reconnaissante. Mais la réalité est ce qu'elle est. Nous sommes à la fin du mois de janvier… Voilà comment on va faire.

— Je vous écoute.

— Laissez-moi prendre ma décision sur la base du chiffre d'affaires de février. Le mois prochain, si les ventes semblent vouloir progresser comme avant, on garde la boutique de *dorayaki*. Sinon, on abandonne. Une échoppe de plats à la mode d'Osaka, ça me plairait bien. On pourrait servir des *okonomiyaki* et des *takoyaki*, les deux – des galettes salées fourrées et des bouchées au poulpe. Et faire en sorte qu'on puisse prendre un verre ici, au comptoir. Comme ça, la dépense par client devrait augmenter. Et puis, vous m'avez déjà pas mal remboursée. Votre dette, on l'efface. Remboursez-moi tout ce que vous pouvez jusqu'en février, et après, ça ira.

— Pardon ?

— Vous m'avez presque entièrement remboursée. Le reste, on n'en parle plus. Alors, n'ayons pas peur d'avancer, Sentarô. Dans la vie aussi, il y a des changements de saison. »

Avec un certain retard, Sentarô répondit : « Certes. »

« On remet tous les compteurs à zéro le mois prochain. D'accord ?

— D'accord. »

La propriétaire déposa le reste de *dorayaki* au sel sur l'assiette qu'elle repoussa d'un geste sec vers Sentarô.

23

Chère madame Yoshii,

Comment allez-vous ? Le froid s'est installé, mais j'espère que vous vous portez bien et que vous n'avez pas attrapé un nouveau rhume depuis notre dernière rencontre.

De mon côté, je poursuis mes efforts.

À vrai dire, je me suis inspiré de ce que vous m'aviez dit et j'ai immédiatement fait des essais.

Oui, des dorayaki *au sel !*

Pour commencer, j'ai essayé de saler davantage la pâte de haricots, mais cela s'est soldé par un échec. Il est clair que la quantité de sel que vous utilisez habituellement est la meilleure dose. Quel talent ! Bref, la pâte de haricots reste la même.

Alors, comment justifier ce nom de dorayaki *au sel ? C'est simpliste, mais j'ai tenté de saler les pancakes.*

Cela a donné des dorayaki *assez intéressants. Si on les mange encore tièdes, ils dégagent une saveur nouvelle qui vous fait penser « oh, c'est peut-être ça ! ». Mais, au bout d'un moment, le sel commence à se faire encombrant. Comment dire, ce qui devait n'être qu'un accent ressort trop. Bien entendu, afin d'éviter cela, je n'utilise qu'une infime quantité de sel, mais alors, s'il y en a trop peu, la surprise de la première bouchée disparaît.*

Donc, l'idée de saler la pâte n'a pas été concluante non plus. Qu'il s'agisse de la pâte de haricots ou des pancakes, les saler directement n'est sans doute pas la bonne méthode. Si l'algue au sel se marie bien à la soupe sucrée zenzai, *c'est parce qu'elle vient la relever, je crois. Imaginons un plat qui s'appellerait* zenzai *au sel : si la soupe de haricots était excessivement salée, cela ne ferait pas très envie.*

Je ne sais pas. Cette alliance improbable, pareille à celle du zenzai *et de l'algue au sel, et qui, en plus, mette en valeur les* dorayaki*… Vu la situation actuelle de Dorabaru, je n'ai guère le loisir d'y réfléchir, mais peut-être trouverai-je en m'appliquant, comme vous me l'avez appris, à être « à l'écoute », je ne perds pas espoir.*

Quoi qu'il en soit, le chiffre d'affaires reste au plus bas. En ce moment, je fais de la pâte de haricots une fois tous les quatre jours, c'est suffisant. L'effervescence d'il y a à peine six mois me paraît bien loin !

Chaque jour, je tends l'oreille, je suis « à l'écoute ». Mais je n'entends encore rien, voilà où j'en suis. J'aimerais aller de nouveau vous rendre visite au Tenshôen, peut-être aux beaux jours. La prochaine fois, je viendrai avec Wakana. À cette occasion, nous déciderons s'il faut relâcher le canari ou non.

Pardonnez-moi. Cette fois, je n'ai pas arrêté de me plaindre. Mais il m'a semblé inutile de faire semblant avec vous, alors j'ai couché sur le papier mes vrais sentiments.

Je n'abandonne pas. Puissent les paroles des dieux de la pâtisserie sonner à mes oreilles aussi !

À Doraharu

Sentarô Tsujii

Cher monsieur Tsujii,

Permettez-moi de négliger les formules d'usage.

Mes remarques inconsidérées semblent vous avoir perturbé.

J'en suis désolée.

En effet, l'utilisation du sel est délicate. Il n'y a guère de problème avec les plats salés, mais, dans un mets sucré, la règle de base est que le sel ne doit jamais prendre le dessus. On peut mettre un soupçon de sel, pas plus. Dans ce cas, comme vous l'avez souligné, le sel sert sans doute d'accent. C'est effectivement la nature du lien entre le zenzai *et l'algue au sel.*

Mais je crois que vous avez mis le doigt sur quelque chose d'important. Je dirais même que c'est la clé. La soupe de haricots sucrée et l'algue au sel non plus, pour commencer, n'avaient certainement rien à voir l'une avec l'autre. Quelqu'un les a réunies dans un mets qui plaît à ceux qui ont la dent sucrée comme à ceux qui préfèrent le salé.

Le dorayaki *est en soi une pâtisserie japonaise aboutie, mais, si on prend exemple sur le* zenzai*, il est peut-être possible de trouver un ingrédient qui le rende original. Je vais y réfléchir moi aussi. Vous avez beau tendre l'oreille, peut-être n'entendez-vous encore rien, mais je vous en prie, ne baissez pas les bras, persévérez.*

Quels que soient nos rêves, un jour, on trouve forcément ce qu'on cherchait grâce à la voix qui nous guide, j'en suis convaincue. Une vie est loin d'être uniforme. Parfois, sa couleur change du tout au tout.

Je touche à la fin de mon existence. C'est pourquoi je comprends certaines choses.

En ce qui me concerne, j'ai vécu toute ma vie avec la maladie de Hansen, mais chaque période de mon existence – mes premiers jours à l'hospice, et puis ceux dix, vingt ou trente ans plus tard, ou maintenant que la fin approche – a été d'une teinte différente, il me semble.

Cela a été très dur. Bien entendu, on pourrait le dire.

Mais au fil des années que j'ai passées dans cet endroit, j'ai fini par comprendre quelque chose. C'est que, quoi qu'on perde, quoi qu'on subisse, nous sommes des êtres humains. Même privé de ses quatre membres, puisque cette maladie n'est pas mortelle, il faut continuer à vivre. Dans cette vaine lutte passée à se débattre au fond des ténèbres, nous nous raccrochions à ce seul point : nous étions des êtres humains, et nous tentions de garder notre fierté.

Voilà peut-être pourquoi j'ai essayé d'être « à l'écoute ». Je crois que l'homme est un être vivant doué de cette force. Et de temps en temps, j'ai « entendu ».

Les oiseaux qui viennent au Tenshôen, les insectes, les arbres, les plantes, les fleurs. Le vent, la pluie et la lumière. La lune. Tous possèdent leurs propres mots, j'en suis convaincue. Les écouter suffit à nous combler. Être dans la forêt du Tenshôen est suffisant, car le monde s'y trouve. La nuit, il suffit de tendre l'oreille au murmure des étoiles pour sentir le cours de l'éternité.

Les clients ne reviennent pas et vous êtes bien embêté. Vous ne me le dites pas franchement parce que vous avez bon fond, mais ce qui est arrivé par ma faute continue, n'est-ce pas ? La loi sur la prévention de la lèpre a été abrogée, mais la société n'a guère changé, dirait-on. Malgré tout, soyez à l'écoute de toutes choses. Tendez l'oreille aux mots que les gens normaux n'entendent pas, écoutez, écoutez et confectionnez vos dorayaki. *Cela suffira, j'en suis sûre, à vous ouvrir de nouveaux horizons, à vous et à Dorahara.*

Pardon de toujours m'exprimer ainsi.

Mais j'en suis certaine.

Vous parviendrez à vous sortir de cette mauvaise passe.

Lorsqu'il fera meilleur, venez me rendre visite, s'il vous plaît, j'y tiens. Je serai heureuse de revoir Wakana aussi. Portez-vous bien.

Tokue Yoshii

24

Le mois de février touchait à sa fin, les premiers vents chauds soufflèrent.

Les bourrasques de vent du sud faisaient trembler le cerisier devant la boutique, qui commençait à se parer de minuscules bourgeons. Peut-être parce que les températures avaient augmenté, certains passants avaient ôté leur manteau, qu'ils portaient sous le bras. Pour éviter de laisser entrer la poussière, Sentarô fermait presque entièrement la vitre coulissante et criait par l'interstice : « Qui veut des *dorayaki* ? »

Le chiffre d'affaires remontait petit à petit.

Les *dorayaki* au sel étaient toujours en cours d'élaboration, mais peut-être sous l'influence du changement de saison, les clients qui avaient délaissé la boutique commençaient à revenir. Ils se présentaient, l'air un peu embarrassé, en disant : « Ça fait une paie » ou « J'ai eu envie d'un *dorayaki* pour la première fois depuis longtemps. » Sentarô leur répondait d'un simple sourire.

L'expression de la propriétaire qui examinait le livre de comptes avait un peu changé aussi. « Dans ces conditions, on va peut-être s'en sortir », disait-elle. Son visage se détendait parfois. La crise n'était pas encore surmontée, Sentarô en était conscient, mais il avait l'impression de pouvoir enfin souffler un peu. Ainsi avait débuté le printemps.

C'est en fin d'après-midi, alors que le vent qui avait soufflé dans la journée était retombé, que la propriétaire apparut, ouvrant la porte coulissante du côté du comptoir. Derrière elle se tenait un jeune homme. « Le gérant, monsieur Tsujii », annonça-t-elle en désignant Sentarô du menton. Le jeune gars, tout en mastiquant un chewing-gum, se présenta : « Je m'appelle Tanaka », un salut de pure forme.

« J'ai beaucoup réfléchi, vous savez. C'est soudain, et vous m'en voyez désolée, Sentarô, mais… je voudrais que vous travailliez avec ce garçon. »

Pressé par la propriétaire qui le motiva d'un « allez ! », le jeune homme qui s'était présenté sous le nom de Tanaka fit un pas en avant. C'était un garçon comme on en voyait maintenant, qui portait son jean bas sur les hanches. Il devait avoir dans les vingt-deux ou vingt-trois ans.

« Ensemble ? demanda Sentarô, désarçonné.

— C'est mon neveu. Il est diplômé d'une école de cuisine et il travaillait dans un restaurant, vous voyez. Mais il a eu des problèmes avec ses collègues. En cuisine, c'est pas facile, hein ? »

La propriétaire laissa la fin de sa phrase en suspens, comme cherchant l'assentiment de Sentarô.

« Du coup, il a démissionné, poussé à bout. Cet hiver, il n'a pas fait grand-chose. N'est-ce pas ? »

Le jeune homme émit un rire forcé et secoua la tête.

« Donc, Sentarô, j'aimerais que vous preniez cela comme une décision de ma part, en ma qualité de patronne. Le mois prochain, on va rénover la boutique. Je veux en faire un endroit où on servira des *dorayaki* et des *okonomiyaki*, les deux. Une échoppe de mets sucrés et salés.

— Rénover la boutique ?

— Eh bien oui… Il va falloir se serrer un peu plus. Mais ça tombe bien, vous voyez, la clientèle semble commencer à revenir, et puis, il y a beaucoup de collégiens et de lycéens par ici. Mon neveu fera un bon interlocuteur pour eux. »

Sentarô, interloqué, tenta de l'interrompre :

« Non, un instant, s'il vous plaît.

— Je sais, je sais. »

Elle agita vigoureusement la main, l'empêchant de poursuivre.

« C'est inopiné, c'est sûr. Je suis désolée. Mais moi non plus, je n'en ai plus pour si longtemps, il fallait que je réfléchisse sérieusement. Par hasard, mon neveu… ce garçon, dont je prends soin depuis qu'il est tout petit, est entré en apprentissage dans la restauration, alors j'y pensais déjà depuis un bout de temps. Donc, c'est une faveur que je vous demande. Il manque encore d'expérience, mais c'est un bon garçon. Je voudrais que vous le formiez.

— Mais, je… »

Sentarô parvint à grand-peine à ravaler l'amertume qui lui était montée à la bouche.

« Vous en êtes capable. Puisque vous êtes déterminé à redresser le chiffre d'affaires tombé si bas. J'ai enfin compris ce que mon mari voyait en vous. Donc, on va garder l'enseigne. Doraharu restera Doraharu. Vous continuerez à confectionner des *dorayaki* ici. Et je voudrais qu'en plus, vous formiez le futur patron. S'il vous plaît. »

Poussé par la propriétaire, le garçon s'inclina, un léger sourire aux lèvres. À voix basse, il lui fit écho : « S'il vous plaît. »

« De là à là, on mettra la plaque chauffante pour les *okonomiyaki*. Et les *dorayaki*, on les installera là-bas, au fond… »

Sans plus se soucier de Sentarô, la propriétaire se mit à détailler ses projets de rénovation au garçon. L'espace dévolu aux *dorayaki* ne faisait pas face à la vitre coulissante, allez savoir pourquoi.

Incapable de riposter, Sentarô se borna à les regarder tous les deux.

25

La lumière de l'éclairage public pénétrait par l'interstice entre les rideaux et la tringle. Emmitouflé dans sa couette, Sentarô contemplait les motifs géométriques qu'elle dessinait au plafond.

Un chat miaula.

Cela faisait près d'un mois qu'il avait démissionné de chez Doraharu.

On avait beau être au printemps, il restait enfermé chez lui. Il se nourrissait de plats achetés à la supérette et passait ses journées à ne rien faire. Il se contentait de regarder le temps s'écouler.

Il ne pouvait pas continuer ainsi.

Il le savait bien. C'est pourquoi ce jour-là, en même temps qu'une boîte de nouilles déshydratées, il avait acheté un magazine d'offres d'emploi.

Du moment qu'il remplissait les conditions, il était prêt à téléphoner n'importe où, sans faire la fine bouche. Il s'était aussi procuré une pile de formulaires pour *curriculum vitae*. Mais il avait beau tourner les pages, toutes les catégories posaient problème. Son âge, d'abord. Dans de très rares cas, certaines entreprises n'imposaient pas de limite d'âge, mais alors, elles exigeaient presque à coup sûr des compétences particulières. À part le permis de conduire, Sentarô ne possédait aucun diplôme. Rien à faire. Toutes les offres d'emploi lui opposaient une porte résolument fermée.

« C'est pas possible…, murmura-t-il plusieurs fois, avant de reprendre la position qui lui était devenue habituelle. Il roula à côté du monceau de linge sale qui formait une masse sombre.

Il resta ainsi jusqu'au soir. Puis il écouta les miaulements du chat qui semblaient lui raconter quelque chose. Il se demandait vaguement à quoi l'animal pouvait bien ressembler.

Miaulait-il de chagrin ? Ou par amour ? Dans quel but ce chat s'égosillait-il donc ? Pour commencer, s'agissait-il d'un mâle ou d'une femelle ?

Toujours allongé, Sentarô poussa un léger soupir.

La lettre de Tokue lui revint en mémoire.

Être à l'écoute, disait-elle ?

Qu'est-ce qu'on pouvait bien entendre, d'après elle ?

Même avec une voix parfaitement audible comme celle-là, Sentarô n'avait pas la moindre idée de ce que le chat cherchait à dire. Alors, le murmure des haricots *azuki*, il ne risquait pas de l'entendre.

Du coin de l'œil, Sentarô scrutait le mur plongé dans la pénombre.

Au bout du compte, il était un loser. Il ne voyait pas d'autre explication.

Dans ce cas, le mieux n'était-il pas d'attacher une corde quelque part dans cette pièce et d'en finir une bonne fois pour toutes ?

En balayant l'espace du regard, il réfléchit à l'endroit où l'accrocher. Il examina divers emplacements, mais à part la tringle, il n'y avait nulle part où attacher une corde. Se pendre comme un rideau ? L'idée lui parut cocasse, un petit rire lui échappa.

« Ingrat… peut-être », finit-il par murmurer.

C'était ce que lui avait reproché la propriétaire, lorsqu'il avait démissionné de Doraharu. Sentarô lui-même n'avait rien trouvé à lui rétorquer.

« Vous imaginez dans quel état d'esprit mon mari a tendu la main à un repris de justice ? Alors quoi, vous laissez tomber mon neveu ? Quelle éducation avez-vous reçue ? J'aimerais voir la tête de vos parents, tiens. »

Le jour où il l'avait fait venir pour lui remettre le reste de l'argent et sa lettre de démission, Sentarô s'était fait accabler d'invectives, il avait été traité comme un scélérat dénué de reconnaissance.

Il n'avait rien pu lui opposer. Il était simplement resté planté devant elle.

Il le savait. Ses remontrances étaient en grande partie justifiées.

Vraiment, il était irrécupérable. Il avait toujours trahi. Tout le monde, y compris ses parents.

Quand et comment sa déchéance avait-elle commencé ? Sentarô l'ignorait. Simplement, il ne s'agissait pas d'une transformation soudaine… Il lui semblait en avoir nourri les prémices en lui dès son plus jeune âge. Il n'avait pas tenté de vivre décemment et échoué, non. Il avait vécu décemment, avec pour résultat cette existence pareille à un champ de décombres. Bref, si Sentarô souffrait, c'était parce qu'il était lui-même.

C'est pourquoi il se débattait ce soir encore. Où qu'il se tourne, il se sentait étouffer, il gémit à plusieurs reprises comme un animal blessé. Il pensa aux moyens de se pendre, aussi. Il n'avait pas de corde. Dans ce cas, de la ficelle pour faire les paquets ferait-elle l'affaire, ou une ceinture ?

Il tourna le regard vers la table. Dans un carton posé à côté étaient entassés les ustensiles qui lui avaient été cédés en guise de prime de départ. Son *sawari* préféré. Dans cette bassine en cuivre s'empilaient les saladiers. La spatule en caoutchouc et la louche. Le fouet, la spatule en inox, son tablier.

Sentarô, muet, contemplait le contour irrégulier de ces objets qui dépassaient du carton.

Les journées passées à la boutique lui revenaient en mémoire.

Le visage des clients qui faisaient la queue de l'autre côté de la vitre.

Les collégiennes et lycéennes qui rigolaient au comptoir.

Le cerisier qui changeait d'aspect au fil des saisons.

Tokue, debout sous cet arbre.

« *Dorayaki…* »

La sensation du saladier et de la cuillère en bois entre ses mains lui revenait.

Le lustre des haricots *azuki* fraîchement cuits. Leur riche parfum.

« *Dorayaki…* Qui veut des *dorayaki* ? »

Sentarô se mordit les lèvres.

« Qui veut des *dorayaki* ? »

Lorsqu'il lança une nouvelle fois la phrase, quelque chose roula le long de ses joues. Sentarô ferma les poings. Il prit une inspiration et serra les dents.

Vous parviendrez à vous sortir de cette mauvaise passe, lui avait écrit Tokue. Encore une trahison à son actif, songea-t-il. Il n'avait honoré aucune de ses promesses.

« Qui veut de délicieux *dorayaki* ? »

Comme il luttait pour ne pas pleurer, sa voix tremblait.

Il étreignit son oreiller et y enfouit son visage. Puis, sans savoir pourquoi, il repensa au cerisier devant la boutique.

C'était la période de pleine floraison. Sans doute était-il couvert de fleurs cette année encore, pareil à un nuage qui serait tombé du ciel. Dans la rue, des passants s'arrêtaient sûrement, fascinés par les fleurs. Dans la boutique aussi, à coup sûr, il y avait des pétales égarés. Et ces lycéennes qui avaient râlé parce qu'elles avaient trouvé des pétales dans leur *dorayaki*, continuaient-elles à fréquenter la boutique tenue par un nouveau gérant ?

26

Cette nuit-là, Sentarô fit un rêve.

Dans un lieu inconnu, il gravissait une côte.

C'était un site vallonné, tout en relief. Sous ses yeux, un scintillement bleuté. Le lit de la rivière était large, son cours tranquille. Sentarô s'immobilisa et regarda la surface de l'eau, une bonne dizaine de mètres plus bas.

Comme s'il se trouvait à la confluence de deux cours d'eau, il discernait nettement les mouvements de l'eau. Plusieurs lignes blanches convergeaient, s'écartaient, dessinant un maillage brillant.

Qu'est-ce que cela pouvait bien être ? À force d'observer, Sentarô finit par comprendre.

C'étaient des pétales de fleurs.

Sentarô remonta du regard le courant, vers l'amont. Alors, le nuage blanc comme la craie qui couvrait le flanc de la colline lui sauta aux yeux.

Depuis la pente qui surplombait la rivière jusqu'aux hauteurs, ce n'étaient que cerisiers en pleine floraison.

Sentarô gravit la côte pas à pas, en direction de cette lumière éblouissante. Le gazouillis des oiseaux lui parvenait. Le vent apportait un parfum. Progressivement, le nuage de cerisiers approchait. Les pétales qui dansaient dans le ciel semblaient briller eux aussi.

Sentarô rejoignit à grands pas le lieu où les cerisiers s'alignaient. C'était comme une fosse lumineuse, encerclée d'arbres en fleurs. Sentarô pénétra à l'intérieur et regarda autour de lui, fasciné par chacun des cerisiers. Les émotions silencieusement endormies dans les arbres en jaillissaient une fois par an, telle une explosion de joie, et c'était maintenant, il le sentit. Les fleurs étaient précisément cette allégresse pure. En décrivant des cercles, Sentarô marcha jusqu'au bord du promontoire qui surplombait la rivière. Au moment où le scintillement de l'eau s'offrait une nouvelle fois à ses yeux, une brise fraîche monta vers lui. En même temps qu'un parfum enveloppant, une gerbe de pétales virevoltants s'éleva. Sentarô goûta à cette pluie de fleurs venue d'en bas.

La lumière habitait toute chose. Éclatante, elle ruisselait de l'eau bleutée, des cerisiers en fleur, et du ciel aussi, bien entendu.

Deux oiseaux s'envolèrent, rasant la surface de l'eau.

Immobile, Sentarô se demandait où il se trouvait.

« Patron ! »

Il eut l'impression qu'on le hélait et il se retourna. C'était la voix d'une jeune fille.

Dans l'allée de cerisiers, il y avait un pavillon de thé. Une bannière promettant des *gohei mochi*, des gâteaux de riz grillés assaisonnés aux noix, ondulait au vent. Un fumet savoureux chatouillait les narines de Sentarô. Il eut envie d'en manger.

« Patron ! »

La voix de la jeune fille se fit de nouveau entendre.

Devant le pavillon de thé étaient installées quelques tables en bois, auxquelles étaient attablés des clients venus admirer les cerisiers en fleur. La voix qui appelait Sentarô provenait de ces environs.

Sentarô s'approcha du pavillon de thé.

Une jeune fille était assise à une table en retrait.

« Bonjour ! »

Elle se leva et s'inclina dans sa direction.

Il comprit immédiatement qui elle était.

En souriant, elle lui dit « Regardez ! » et désigna le col de son corsage. Il était d'un blanc immaculé.

« C'est ma mère qui me l'a cousu. »

Le corsage étincelait dans la lumière du printemps. Des pétales de cerisier tombaient dessus, l'un après l'autre.

« Vous devez être contente. »

Son interlocutrice avait beau être une enfant, Sentarô la vouvoya.

La jeune fille répondit : « Oui.

— C'était donc ici ?

— Oui. Mon village d'origine, c'est un endroit de toute beauté. »

Sentarô s'assit en face d'elle. Sur la table se trouvaient une assiette de brochettes de gâteaux de riz couverts de pâte de haricots confits, ainsi qu'une petite jarre et une tasse. La jeune fille les montra de la main et dit : « Servez-vous. »

La tasse paraissait contenir non pas du thé, mais de l'eau chaude sur laquelle flottaient des pétales de cerisier.

Avant d'y goûter, Sentarô questionna la jeune fille.

« Des pétales de fleurs sont tombés dedans ? »

Elle secoua la tête.

« Non. C'est du *sakurayu*. Une tisane de fleurs de cerisier légèrement salée, avec un agréable arôme floral.

— Ah oui, une tisane de fleurs de cerisier ? »

C'était la première fois que Sentarô en entendait parler. Il répéta à voix basse « *sakurayu* ». Alors, il sentit des pétales entrer dans son cœur. Il s'agissait pourtant de pétales qui voletaient en l'air, mais ils avaient pénétré le corps de Sentarô et s'étaient évanouis dans un éclair de lumière. Ou plutôt non, ils n'avaient pas disparu.

« ... une tisane de fleurs de cerisier légèrement salée, avec un agréable arôme floral... »

Les mots de la jeune fille ne quittaient plus Sentarô. Il lui sembla que les fleurs de cerisier qui l'entouraient s'étaient soudain dilatées. Il cligna des yeux.

« Quel genre de boisson cela peut-il bien être ? »

Il souleva sa tasse et la jeune fille désigna la jarre d'un doigt bien droit.

« On les met en saumure à la maison. Ouvrez-la pour voir. »

Sentarô ôta le couvercle de la jarre. Elle était remplie de fleurs d'un rose tendre. Une fragrance puissante et sucrée l'enveloppa.

« Ah !

— Ce ne sont pas des fleurs de cerisier Yoshino, mais de prunus. Elles sont conservées dans du sel.

— C'est beau ! »

Sentarô ne trouvait pas d'autres mots, et cela l'agaçait.

« Quand on les fait flotter dans de l'eau chaude, ça donne une tisane de fleurs de cerisier. »

En écoutant les explications de la jeune fille, Sentarô jeta un nouveau coup d'œil dans sa tasse, comme pour comparer avec les fleurs en saumure.

Dans l'eau chaude, les fleurs de cerisier remontaient lentement à la surface. Elles semblaient avoir été séparées du calice sans être abîmées ; deux fleurs certes froissées mais entières s'épanouissaient.

Sentarô s'absorba un instant dans leur contemplation. Puis, comme subjugué, il porta la tasse à ses lèvres.

Le parfum des fleurs était puissant. On aurait dit qu'un cerisier avait fleuri dans sa bouche aussi. Et, en même temps, une agréable saveur salée parcourut son palais.

« … une tisane de fleurs de cerisier légèrement salée, avec un agréable arôme floral… »

La jeune fille avait raison. Le mariage du sel et des arômes était parfait.

C'était cela.

Sentarô reposa doucement sa tasse et regarda fixement les fleurs de prunus au sel dans la jarre.

C'était cela… ce qu'il cherchait.

« Ça… En fonction de la quantité de sel, le parfum de la fleur ressortant plus ou moins… Par exemple, une ou deux fleurs dans la pâte d'un *dorayaki…* », dit Sentarô.

Il se leva à demi.

La jeune fille n'était plus devant lui.

Son sourire, son corsage blanc parsemé de pétales de fleurs, tout avait disparu.

Sentarô se leva et balaya rapidement du regard les alentours. Les quelques tables, les gens venus admirer les cerisiers en fleur, le pavillon de thé et sa bannière, il n'y avait plus rien. Autour de lui, il ne restait que les fleurs de cerisier étincelantes de blancheur. Même la table qu'il touchait il y a un instant encore, les gâteaux de riz en brochette et la tasse posés dessus, jusqu'à la jarre contenant les fleurs de cerisier salées s'étaient évaporés.

Cerné par le flamboiement des fleurs, Sentarô cria à plusieurs reprises le prénom de la jeune fille. Mais, à part les pétales qui tournoyaient sans cesse, le paysage ne changeait pas. Alors, il comprit enfin qu'il s'était fourvoyé dans un endroit qui ne relevait pas du monde réel.

Tout en pressentant qu'il allait être rappelé à la réalité, il songea qu'il devait aller rencontrer la jeune fille.

Il devait aller la voir et l'interroger.

L'endroit où vous êtes née…

Un jour, vous m'avez dit qu'il y coulait une rivière, n'est-ce pas ? Que c'était un endroit où les cerisiers étaient magnifiques. Et aussi que là-bas, on conservait leurs fleurs dans du sel.

En avez-vous déjà mangé avec un mets sucré ?

27

De l'autre côté de la longue haie de houx se dressaient des cerisiers en fleur.

Portés par le vent, des pétales tombaient en virevoltant.

Sentarô et Wakana avançaient en silence.

« Au lycée, tu vas t'inscrire à un club ? »

À chaque silence, Sentarô posait une question anodine.

« Euh… je ne suis pas encore décidée. »

C'était Sentarô qui lui avait téléphoné. Il avait certes éprouvé des réticences, un homme de son âge qui invitait une jeune fille de quinze ans, mais, à cause de Marvy, ils devaient retourner ensemble au Tenshôen, au moins une fois.

Depuis qu'il avait fait ce rêve, les fleurs de cerisier salées ne quittaient plus son esprit. Il avait cherché sur Internet, aussi. Et quand il avait appris que cela existait vraiment, il avait été si bouleversé qu'il avait gardé les yeux fermés un instant. Seulement, tout bien réfléchi, il avait repoussé l'idée d'en commander et d'essayer immédiatement de les marier aux *dorayaki*. Pour le moment, les conditions n'étaient pas réunies. Parce qu'il ne pourrait pas les tester avec ses propres *dorayaki*. Et puis, s'il existait des fleurs de cerisier en saumure du village d'origine de la jeune fille d'autrefois, c'était précisément celles-là qu'il voulait utiliser.

Il venait à peine d'envoyer une carte postale à Tokue pour lui annoncer sa visite en compagnie de Wakana. Il n'était pas certain qu'elle l'ait déjà reçue, mais il semblait peu probable que Tokue soit absente. Une fois sur place, il arriverait bien à la voir, se disait-il. Il connaissait son adresse. S'il ne la trouvait pas au magasin, il n'aurait qu'à aller tout droit chez elle.

Au-dessus de la forêt du Tenshôen, le ciel était d'un bleu tendre. De l'autre côté du houx, les cerisiers moutonnaient. Les branches des chênes du Japon se balançaient, chatoyantes.

« Voilà que tu entres au lycée… C'est le printemps, il n'y a pas à dire.

— C'est bien le printemps.

— Les cerisiers aussi sont peut-être au plus fort de leur floraison.

— Peut-être, oui. »

Puisque Wakana était toujours aussi laconique, Sentarô décida d'aborder le sujet de lui-même.

« En fait, je voulais t'en parler depuis un bout de temps, mais, Mme Yoshii… pour le canari…

— Marvy ?

— C'est ça, Marvy. Mme Yoshii m'a dit qu'elle voulait lui rendre sa liberté. Qu'elle sentait qu'il voulait sortir.

— Oui.

— Comme elle n'a pas pu sortir d'ici pendant longtemps, je me dis qu'elle comprend sans doute ce que ressent un oiseau en cage. S'il est capable de voler, moi aussi je pense que le mieux est de le libérer. Si on lui installe une mangeoire, je crois qu'il devrait arriver à vivre dans la forêt du Tenshôen. »

Sans hésiter, ou presque, Wakana fit entendre un sobre « Oui ».

« Tu es peut-être aussi au courant, mais Doraharu n'existe plus.

— Oui, je le sais. »

Wakana, qui le suivait quelques pas en arrière, se rapprocha alors un peu de lui.

« Pourquoi avez-vous arrêté ?

— La propriétaire considérait que les *dorayaki* n'étaient plus à la page.

— Je n'ai plus nulle part où aller sur le chemin du retour de l'école.

— Allons donc », lui répondit-il, et Wakana se rapprocha encore :

« Eh bien…

— Quoi ?

— Je vais intégrer un lycée public. En cours du soir.

— Ah bon ? »

Un instant, le regard de Wakana se durcit.

« C'est la vérité. La journée, je travaillerai.

— Je te crois. »

Sans réfléchir, Sentarô poursuivit :

« Mais, quelle que soit l'école, tout dépend de toi, il me semble.

— C'est ce que tout le monde dit. Y compris mon professeur principal. Mais personne n'est allé en cours du soir.

— Euh, en effet.

— Et vous ? Vous avez suivi la filière classique ? Vous étiez bon à l'école ?

— En fait, j'étais dans un lycée classique. »

Un silence se fit ; Sentarô se retourna. Wakana laissait courir sa main le long de la haie de houx, l'air contrariée.

« Je suis donc la seule. En cours du soir.

— Certes. Mais… quand même…

— Chez moi, on n'a pas d'argent, il faut que je travaille. Donc, je suis allée à Doraharu. Et alors, vous n'y étiez plus.

— Désolé.

— Je ne vous le fais pas dire ! Alors qu'un jour, Mme Yoshii m'avait dit que je pourrais travailler chez Doraharu. Du coup, j'étais super déçue. Et un peu en colère, aussi. Vous n'allez pas refaire des *dorayaki* autre part ?

— J'aimerais bien.

— Ah oui ?

— Ce serait bien si on pouvait tenir une boutique ensemble. »

Il avait lâché cela comme une blague, mais il s'étonna lui-même d'avoir pu prononcer ces mots. Il eut plus ou moins l'impression d'avoir liquidé en cet instant celui qu'il était depuis qu'il avait quitté Doraharu, celui qui restait enfermé.

Wakana s'approcha de lui, marchant à sa hauteur. Elle tapota du bout des doigts le sac qu'elle portait à l'épaule.

« J'ai apporté un cadeau pour Mme Yoshii.

— Vraiment ? Qu'est-ce que c'est ?

— Essayez de deviner. »

Sentarô n'en avait aucune idée. Après avoir longuement réfléchi, il proposa « une veste d'intérieur », et Wakana se moqua de lui.

« Raté ! C'est déjà le printemps, pourquoi une veste d'intérieur ?

— Qu'est-ce que ça peut bien être ? Donne-moi un indice.

— Ça ne se mange pas.

— Ce n'est pas ça qui va m'aider. »

Pour finir, Sentarô ne parvint pas à deviner. Sans s'en rendre compte, ils avaient dépassé la haie de houx et étaient arrivés devant le centre de documentation sur la maladie de Hansen. Là aussi, les cerisiers en pleine floraison floconnaient, mais le silence était toujours le même.

« Ah, nous y voilà. »

La formule de Wakana avait quelque chose de mélancolique ou d'embarrassé. Ils passèrent devant la statue de la mère et son enfant en costume de pèlerin et s'engagèrent sur le chemin qui faisait le tour du Tenshôen.

« Les cerisiers sont magnifiques.

— C'est vrai. On se croirait dans un rêve. »

Les cerisiers qui bordaient l'allée étaient réellement superbes. Ils étincelaient au-dessus de leurs têtes, comme s'ils attiraient à eux toute la lumière environnante. C'était l'effet que cela faisait à Sentarô. Il y avait aussi des gens venus admirer les fleurs, peut-être des habitants du quartier, ou d'anciens patients du Tenshôen.

« Où habite Mme Yoshii ?

— Je ne suis jamais allé chez elle mais j'ai son adresse, alors si on ne la trouve pas au magasin, on regardera sur le plan après. »

Wakana hocha la tête, tout en murmurant : « Je suis un peu inquiète, quand même. »

Comme toujours, il y avait des gens dans le magasin et devant. Tous étaient âgés. Beaucoup d'hommes portaient des lunettes de soleil.

Sentarô jeta un coup d'œil à l'intérieur, par la porte grande ouverte du magasin. C'était bien l'heure qu'il avait indiquée sur la carte postale, mais Tokue n'était nulle part.

« Il va falloir qu'on aille chez elle, je crois. »

Mais Wakana lui toucha discrètement le bras.

« Là-bas, la personne qui nous regarde, on l'a rencontrée l'autre fois. »

À la table la plus éloignée, la femme qu'ils connaissaient se leva.

« Ah, c'est Mme Moriyama. »

Les yeux fixés sur Sentarô qui lui adressait un signe de tête, elle approcha d'un pas lent.

« Bonjour ! Cela me fait plaisir de vous revoir. »

Sentarô s'appliqua à la saluer avec entrain. Mme Moriyama marmonna : « Eh bien…

— Nous sommes venus voir Mme Yoshii. Je viens juste de lui envoyer une carte postale, peut-être ne l'a-t-elle pas encore reçue.

— Eh bien… »

Mme Moriyama, une main devant sa bouche déformée par la maladie, tenta de parler. Elle semblait chercher ses mots et ferma les yeux un instant.

« C'est-à-dire que… C'est moi qui ai reçu votre carte. Vous voulez bien vous asseoir, s'il vous plaît ? »

Sa voix était douce, certes, mais elle ne laissait aucune place à la discussion. En échangeant un regard Sentarô et Wakana prirent place à la table désignée par Mme Moriyama.

« Wakana… Patron…

— Oui. C'est mon surnom, à vrai dire, précisa la jeune fille.

— Écoutez-moi calmement…

— Oui ? »

Un silence se fit.

« Tokue est morte. »

Sentarô, bouche bée, resta figé sur sa chaise. À ses côtés, Wakana avait sursauté.

Sentarô eut l'impression que le vent, le temps et le ciel, tout ce qui était invisible s'était soudain rassemblé en une masse de la taille d'un poing qui l'avait frappé en pleine poitrine.

« … Je vous demande pardon ? »

Mme Moriyama le scrutait d'un œil triste, mais sans détourner le regard.

« Vos coordonnées, Tokue me les avait données. Mais je ne suis pas arrivée à remettre la main dessus. La semaine dernière, je suis allée à la boutique. Et alors, c'était devenu un marchand d'*okonomiyaki*. J'ai demandé au jeune homme s'il n'avait pas le numéro de téléphone du patron de Doraharu qui était là avant, mais il m'a dit qu'il n'en savait rien. Du coup, j'étais bien embarrassée. »

Sentarô, incapable de parler, se tenait simplement le front. Avec un temps de retard, il s'inclina devant

Mme Moriyama. Murmurer « Je suis désolé » lui demanda une force surhumaine.

« C'était il y a une dizaine de jours. Que Tokue nous a quittés. »

Wakana répétait « C'est pas vrai, c'est pas vrai », comme pour se raccrocher à quelque chose.

« La veille, je suis allée lui rendre visite. Elle était très affaiblie. Mais comme elle avait seulement de la fièvre, elle ne voulait pas aller à l'infirmerie. Alors je suis restée avec elle. À ce moment-là, elle m'a transmis un message au cas où… Je lui ai dit que si on en arrivait là, je vous appellerais, mais elle a refusé. Même s'il lui arrivait quelque chose, je devais seulement vous écrire. »

Sentarô secoua la tête. Il n'arrivait pas à y croire.

« Tokue… elle vous considérait comme son fils, vous savez. »

Son ton n'était pas accusateur. Mme Moriyama s'exprimait simplement avec franchise.

« Elle a fait une pneumonie. »

Sentarô savait qu'il devait dire quelque chose, mais rien ne sortait. À ses côtés, Wakana était pétrifiée.

« Nous lui avons fait nos adieux en petit comité. J'aurais aimé que vous soyez présent, mais vous aviez changé de lieu de travail, vous aviez vos propres soucis. Bref, tout a été tellement soudain. »

Sentarô secoua une nouvelle fois la tête.

« Et Mme Yoshii, où… »

Il tenta de prononcer le mot suivant, mais ses lèvres tremblaient.

« Où… »

Il flancha au même endroit.

Mme Moriyama s'essuya le coin des yeux de ses doigts déformés. Tout en répondant précisément à la question que Sentarô tentait de poser :

« Pour le moment… elle repose au columbarium. Elle y a rejoint son mari.

— Je vois. »

Ce bref murmure eut raison de Sentarô. Incapable de retenir son émotion davantage, il s'accouda à la table et enfouit son visage dans ses mains. Wakana aussi, à côté, tête basse, était secouée de sanglots.

« Mais c'est bien que vous soyez venus. Le souhait de Tokue est parvenu jusqu'à vous. Alors, maintenant, voulez-vous bien venir jusque chez elle ? S'il vous plaît. »

Sentarô acquiesça en silence. Wakana, la voix rauque, répondit « Oui ».

28

Mme Moriyama regagna l'allée de la résidence bordée de logements, tourna à un coin et s'arrêta. Ce n'était pas si loin du magasin.

Il y avait une sorte de patio où poussait de l'herbe. Mme Moriyama y pénétra en suivant les dalles de pierre.

Sur le mur de la maison, du côté de la rue, une plaque indiquait « Ryokufû », « Vent d'été ».

Sur les pas de Mme Moriyama, Sentarô et Wakana traversèrent le jardin. Le bâtiment abritait sans doute quatre logements, autant de fenêtres parfaitement similaires s'alignaient.

L'appartement de Tokue était le dernier, au fond. Mme Moriyama fit coulisser une baie vitrée en aluminium qui n'était pas verrouillée.

« Ça ne vous gêne pas qu'on entre par là plutôt que par l'entrée ? Nous faisions toujours comme ça. »

La baie vitrée avait sans doute fait office de véranda. Le sol de la pièce était couvert de moquette bleue, usée jusqu'à la trame au bord, là où on pouvait s'asseoir.

Près de la fenêtre était posée une cage à oiseaux que Sentarô reconnut. Mais Marvy n'était pas à l'intérieur.

Sentarô le remarqua, il lança un regard discret à Wakana. Ses yeux humides étaient eux aussi tournés vers la cage.

« Entrez, je vous en prie. »

C'était une pièce de six tatamis, une dizaine de mètres carrés. La cuisine devait être au fond, on apercevait un évier et un réfrigérateur.

Le plafond semblait fait de planches de récupération. Le plâtre des murs était jauni, noir par endroits. Il y avait une commode. Un bureau. Une étagère en contreplaqué contenant des livres. Un petit poste de télévision. La literie devait être rangée dans le placard, car c'était tout ce qui était visible.

« C'est ici… que Mme Yoshii est décédée, n'est-ce pas ?

— Non, à la fin, elle était à l'infirmerie. Mais jamais je n'aurais imaginé qu'elle partirait aussi vite. »

Sentarô et Wakana, à l'invitation de Mme Moriyama, se déchaussèrent dans le jardin et pénétrèrent dans le logement de Tokue. La cuisine était plongée dans la pénombre, mais, près de la baie vitrée, il y avait des flaques de soleil.

Sur l'étagère en contreplaqué étaient posées plusieurs photographies.

« Là, c'est Tokue et son mari Yoshiaki. »

Tout en essayant de saisir un bâton d'encens de ses doigts handicapés, Mme Moriyama tourna le visage vers les photos.

« Elle était belle, Mme Yoshii… », dit Wakana d'une voix nasillarde, le nez bouché.

C'est vrai, pensa Sentarô.

Tous les clichés étaient en noir et blanc. Ils montraient Tokue, sans doute encore dans la vingtaine. Elle était coiffée à l'ancienne, comme dans les vieux films, mais son visage était si resplendissant qu'on avait peine à croire qu'elle était malade. Son nez était bien droit, son regard aussi débordait de vigueur. Elle ressemblait à la jeune fille que Sentarô avait rencontrée en rêve. Elle souriait tendrement à l'homme debout à ses côtés. Qui lui rendait son sourire.

Comme elle l'avait dit à Sentarô, son mari paraissait beaucoup plus âgé qu'elle. Et, comme elle le lui avait dit aussi, il avait le cou et les épaules frêles et chétifs, il semblait fragile.

Simplement, il y avait une différence par rapport à ce que Tokue avait raconté à Sentarô.

De mémoire, elle lui avait décrit un homme grand « comme un cocotier ». De ce fait, il s'était imaginé quelqu'un d'une certaine taille. Mais l'homme sur la photo, bien que dépassant un peu Tokue, ne lui semblait pas plus grand que la moyenne des Japonais.

Bien sûr, cela ne troubla que brièvement Sentarô. Il pensa immédiatement à autre chose. Sur la photographie, Tokue était tellement rayonnante qu'à l'idée des immenses difficultés qui les avaient ensuite frappés, il se sentit terriblement oppressé.

Sentarô et Wakana allumèrent des bâtonnets d'encens et joignirent les mains devant le couple qui avait souri à l'objectif quelques décennies plus tôt.

« Si vous êtes d'accord, je pense que cela lui aurait fait plaisir que vous en emportiez quelques-uns. »

Dans un coin de la cuisine se trouvaient un petit four, avec une caisse en bois à côté. Elle était remplie d'ustensiles de pâtisserie.

Une bassine en cuivre et une cuillère en bois pour la cuisson des haricots. Il y avait aussi un tamis fin pour passer la purée de haricots et en faire une pâte sans morceaux. Un fer pour marquer les *rikyû manjû*, ces petits gâteaux ronds cuits à la vapeur, un moule pour la gelée de haricots *yôkan*, un panier pour cuire à la vapeur les brochettes de gâteaux de riz. Les ustensiles de pâtisserie occidentale aussi étaient nombreux. À côté des culs-de-poule de toutes les tailles, des moules à tarte et à cake. Une spatule pour le glaçage et un fouet. Les douilles à pâtisserie étaient rassemblées dans un sachet en plastique.

« Nous aussi, nous aimerions nous répartir les ustensiles utilisables. Mais nous avons tous pris de l'âge au fil du temps, et nous pourrions très bien mourir le lendemain du jour où nous nous partagerons ces souvenirs… »

À cet instant, Mme Moriyama lâcha un léger rire.

« Donc, patron, nous préférerions les donner à quelqu'un comme vous. Tout ce qui est ici sera liquidé à la fin du mois. Tout va disparaître. »

Sentarô s'agenouilla à côté de la caisse en bois et tendit la main vers les ustensiles de cuisine de Tokue. Alors, une phrase qu'elle avait prononcée quand elle s'était présentée chez Doraharu lui revint à l'esprit.

… je n'ai pas arrêté. Pendant cinquante ans…

Sentarô s'en souvenait nettement. Ce jour-là, fugitivement, une expression de fierté avait traversé le visage de Tokue.

Il effleura les ustensiles du bout des doigts.

« Ils ont longtemps servi, n'est-ce pas ? »

Sentarô montra à Mme Moriyama une cuillère en bois ancienne.

« Quand même, ce serait mieux qu'ils reviennent aux membres du cercle de pâtisserie, non ? »

Mme Moriyama secoua la tête.

« Le cercle de pâtisserie… ces dix dernières années, il n'a pratiquement pas été actif.

— Vraiment ?

— Depuis que nous sommes libres de sortir d'ici, nous pouvons nous procurer ce qui nous fait plaisir. Maintenant qu'on peut acheter des gâteaux au supermarché, nous n'avons plus l'occasion de nous réunir pour en préparer tous ensemble. »

Sentarô hocha la tête en silence.

« Comme Tokue était du genre entreprenante, ce changement l'attristait peut-être.

— Elle voulait cuisiner.

— Oui. Et puis… »

Mme Moriyama ne termina pas sa phrase.

Sentarô mit de l'ordre dans la caisse en bois. Ensuite, il emballa quelques ustensiles dans une serviette en coton.

« Je m'en servirai avec gratitude. »

Quand se tiendrait-il de nouveau derrière une plaque chauffante ? Il n'en avait pas la moindre idée. Mais ces ustensiles, il les garderait en souvenir.

Lorsque Sentarô quitta la cuisine pour regagner la pièce principale, Mme Moriyama posa une boîte à biscuits sur le bureau.

« C'est pour vous. »

Elle ouvrit le couvercle. Un paquet de feuilles apparut.

« Avant que Tokue ne soit transportée à l'infirmerie, elle m'a donné cette lettre. Elle m'a demandé de vous la remettre si elle ne revenait pas, parce qu'elle voulait vous demander pardon. »

Elle lui tendit les feuilles volantes. Sentarô et Wakana échangèrent un regard.

« La lettre n'est pas terminée. Elle me l'a dit. »

Sentarô saisit les feuilles.

« Si vous le voulez bien, lisez-la ici. Parce que c'est sans doute ici qu'elle a passé du temps à la rédiger, ligne après ligne. »

Sentarô acquiesça et déplia le papier à lettres. Il avait sous les yeux cette écriture si particulière, terriblement soignée et en même temps tortueuse.

Cher monsieur Tsujii,

Permettez-moi de me dispenser des formalités d'usage.

Lorsque vous recevrez cette lettre, il fera sans doute un peu moins froid.

J'avais décidé de ne plus vous écrire parce que cela n'aurait été que radotages de vieille femme, mais mon rhume persiste et je suis un peu inquiète, je me demande si je vous reverrai, Wakana et vous. Alors, comme je vous dois des excuses et que je tiens absolument à vous dire une chose, j'ai pris la plume.

Commençons par les excuses.

Alors que je vous avais promis de m'occuper de Marvy, en réalité, je l'ai libéré très vite. À force de l'écouter, je me suis aperçue qu'il me demandait de le laisser partir. J'ai hésité en repensant à Wakana, mais moi qui ai souffert de ne pouvoir sortir d'ici, je n'avais pas de raisons d'enfermer dans une cage exiguë un être doté d'ailes.

Peut-être Marvy était-il incapable de vivre sans l'aide de l'homme, mais à le voir répéter laisse-moi sortir, laisse-moi sortir, les yeux fixés sur le ciel bleu, je n'ai pu résister. Et je l'ai libéré.

S'il vous plaît, dites à Wakana que je lui demande pardon.

Quand j'étais enfant, je n'avais pas de rêve particulier pour l'avenir. Après tout, c'était la guerre, et il me semble que je m'inquiétais plus de savoir jusqu'à quand je resterais en vie que du métier que je souhaitais exercer.

Mais après avoir contracté cette maladie, quand j'ai compris que je serais à jamais exclue du monde extérieur, j'ai su ce que je voulais faire, et j'ai été bien embarrassée.

Pour commencer, je vous l'ai déjà dit, je voulais devenir professeur. J'aimais les enfants, et j'aimais les études aussi. D'ailleurs, j'ai étudié à l'école de la résidence et, une fois adulte, il m'est aussi arrivé de donner des leçons à nos petits patients.

Mais pour tout vous dire, je voulais passer de l'autre côté de la haie. Je voulais m'intégrer à la société, y travailler pour de vrai. Comme le veut la formule consacrée, je souhaitais être utile à la société, à mon prochain.

Cette volonté ne m'a jamais quittée. Passe encore lorsque j'étais malade, mais même guérie, je n'ai pas pu sortir. Alors que je souhaitais follement travailler, me rendre utile, dans les faits, j'étais emprisonnée par cette haie, je vivais des impôts des gens.

J'ignore combien de fois j'ai souhaité mourir. Sans doute qu'en mon for intérieur, j'estimais que ceux qui ne rendent pas service à la société ne valent rien. Parce que j'avais la conviction que les hommes naissent pour être utiles.

Quand et comment cette certitude a-t-elle évolué ?

Ce dont je me souviens nettement, c'est que c'était alors que j'arpentais seule la forêt du Tenshôen en admirant la pleine lune qui brillait de tous ses feux. C'est à cette époque que je commençais à être « à l'écoute » du bruissement des arbres, des insectes et des oiseaux.

Les alentours luisaient d'un bleu pâle sous le clair de lune, et les arbres se balançaient, comme animés d'une volonté propre. Sur ce sentier dans la forêt, j'étais vraiment seule face à la lune.

Comme elle est belle, pensai-je. Fascinée, j'en oubliai même que je luttais contre une maladie terrible et que je ne pouvais pas sortir de cette enceinte.

Et alors, il m'a vraiment semblé l'entendre. J'ai eu l'impression que la lune s'adressait à moi dans un murmure.

Je voulais que tu me voies.

C'est pour cela que je brille.

Dès lors, tout m'est apparu sous un nouveau jour. Sans moi, cette pleine lune n'existait pas. Les arbres non plus. Ni le vent. Sans le regard que j'étais, toutes les choses que je voyais disparaîtraient. C'était tout simple.

Et si ni moi ni les humains n'existions, qu'en serait-il ? Pas seulement les humains, si le monde était privé de tous les êtres doués d'émotion, qu'en serait-il ?

Ce monde quasiment infini disparaîtrait entièrement.

Vous me trouvez peut-être mégalomane, patron.

Mais cette façon de penser m'a transformée.

Nous sommes nés pour regarder ce monde, pour l'écouter. C'est tout ce qu'il demande. Et donc, même si je ne pouvais pas devenir professeur, ni travailler, ma venue au monde avait un sens.

Comme j'avais guéri relativement rapidement, j'ai pu sortir sans trop me préoccuper de mes séquelles. J'ai pu travailler chez Doraharu, aussi. J'ai vraiment eu de la chance.

Mais de par le monde, il y a aussi des enfants dont la vie s'achève au bout d'à peine deux années. Alors, dans le chagrin, chacun s'interroge sur le sens de la naissance de cet enfant.

Maintenant, je sais. C'est sûrement pour qu'il puisse ressentir, à sa manière, le ciel, le vent et les mots. Le monde naît de la perception de cet enfant. Donc, la naissance de l'enfant aussi a bien un sens.

De la même façon, la naissance d'un être comme mon mari, qui a passé la majeure partie de son existence à lutter contre la maladie et qui, vu de l'extérieur, a dû partir en gardant ses regrets, a aussi un sens. Puisqu'au cours de sa vie, il a perçu le ciel et le vent.

Il ne s'agit pas seulement des victimes de la maladie de Hansen, je suis certaine que tout le monde se demande un jour si sa vie a un sens.

Pour ce qui est de la réponse… notre vie a un sens, je le sais parfaitement aujourd'hui.

Bien entendu, cela ne résout pas pour autant les problèmes auxquels nous sommes confrontés, on peut parfois avoir l'impression que la vie, c'est une suite de souffrances.

Vous savez, j'ai été folle de joie quand nous avons gagné notre procès, quand la loi qui nous enfermait a été abrogée et que nous avons pu sortir librement. Parce que nous nous étions battus tous ensemble dans cet objectif pendant des décennies.

Mais cette joie était aussi une souffrance.

Pouvoir franchir la haie de houx et se promener en ville. Pouvoir prendre le bus ou le train. Pouvoir voyager si l'envie m'en venait. C'était bien sûr une grande joie. Je n'oublierai jamais l'instant où j'ai pu sortir, au bout de cinquante années. Parce que tout brillait de mille feux. Mais, à force de marcher, j'ai compris quelque chose. Où que j'aille, je ne connaissais personne, je n'avais pas de famille non plus. Où que j'aille, je n'étais qu'une anonyme égarée dans un pays inconnu.

Il était trop tard, voyez-vous. J'étais trop vieille quand la liberté m'a été donnée. Si cela était arrivé vingt ans plus tôt, j'aurais peut-être pu me construire une vie à l'extérieur aussi. Mais à soixante ou soixante-dix ans passés, on avait beau nous dire voilà, vous pouvez y aller, nous étions impuissants.

La joie de pouvoir déambuler dehors. Plus elle était grande, plus le temps perdu, les jours qui ne reviendraient jamais se transformaient en une souffrance qui me submergeait. Ce sentiment, le comprenez-vous ? Tous ceux qui vivent ici, lorsqu'ils font une sortie, en reviennent épuisés. Il ne s'agit pas seulement de fatigue physique, c'est à cause de cette souffrance qui ne disparaîtra jamais.

Voilà pourquoi je faisais de la pâtisserie. Je confectionnais des mets dont je nourrissais ceux qui avaient accumulé les larmes. C'est ainsi que moi aussi, j'ai réussi à vivre.

Pour vous aussi, bien entendu, la vie a un sens.

La phase douloureuse derrière les barreaux, la rencontre avec les dorayaki, *tout a un sens, à mon avis. À travers toutes ces circonstances, vous vivez de la façon qui est la vôtre. Et un jour sans doute viendra où vous pourrez dire, ça, c'est ma vie. Même si vous ne devenez pas écrivain, ni artisan spécialisé dans les* dorayaki, *le jour viendra où vous vous trouverez, où vous serez vous-même.*

La première fois que je vous ai vu, c'était lors de ma promenade hebdomadaire. Je flânais en admirant les cerisiers de la rue commerçante quand une odeur sucrée m'a fait découvrir Doraharu.

Et je vous ai vu. J'ai vu votre visage.

Vos yeux semblaient si tristes. Votre regard donnait envie de vous demander ce qui vous faisait tant souffrir. C'étaient mes yeux autrefois. Mes yeux quand je me suis résignée à ne plus jamais franchir la haie de houx. C'est pour cela que je me suis plantée devant la boutique, comme irrésistiblement attirée.

À ce moment-là, j'ai pensé que si mon mari n'avait pas été stérilisé de force, si nous avions eu un enfant, il aurait certainement eu à peu près votre âge.

Ensuite, j'ai

À partir du milieu de la lettre, les mots étaient de plus en plus gros, l'écriture altérée. Et la missive s'arrêtait là.

Sentarô, les feuilles à la main, ferma les yeux. Personne n'ouvrit la bouche pendant un moment.

C'est Wakana qui prit enfin la parole :

« J'aurais dû venir plus tôt. »

Sentarô releva la tête. Elle ouvrit son sac et en sortit un sachet en papier, qu'elle posa délicatement devant la photo de Tokue. Un ruban rouge était fixé sur le paquet.

« Ouvre-le pour que Tokue aussi puisse le voir, sinon, c'est dommage. »

À l'invitation de Mme Moriyama, Wakana hocha la tête et, les doigts tremblants, ouvrit le sachet.

C'était un corsage blanc.

« Je ne sais pas coudre, alors… je l'ai acheté. Il n'était pas très cher. »

Mme Moriyama s'assit à côté de Wakana qui avait éclaté en sanglots.

« Je suis sûre que Tokue est ravie. »

Elle prit le corsage entre ses mains, déplia les manches et le montra à la photo de Tokue.

« C'est chouette, hein, Tokue ? Wakana a rapporté le corsage que ta mère t'avait cousu. »

De ses doigts déformés, elle effleura l'épaule tremblante de Wakana.

« Wakana… »

Elle n'ajouta rien. Elle continua simplement à lui caresser l'épaule.

« Wakana ! »

Lorsqu'il l'interpella, Sentarô aussi pleurait.

« Merci ! »

Ils laissèrent passer un instant ainsi, tous les trois. Ils gardèrent le silence en attendant d'avoir recouvré leur calme.

Sentarô observait le jardin.

Le temps semblait avoir passé à toute allure pendant qu'ils pleuraient ; la lumière commençait déjà à se teinter de rouge. Elle dansait continuellement sur les brins d'herbe. Sentarô s'essuya les yeux du bout des doigts et regarda la cage à oiseaux vide. Alors, Mme Moriyama ouvrit la bouche.

« Tokue se demandait comment se faire pardonner.

— Ah, à propos du canari ?

— Oui. »

Mme Moriyama s'approcha de Sentarô sans se lever, en glissant sur ses genoux.

« Je ne sais pas si c'est une bonne idée d'en parler maintenant, alors que tu viens à peine de lui offrir un corsage, mais… comment s'appelait-il au fait ? Ma…

— Marvy. »

Wakana releva la tête.

« Elle a libéré Marvy de son propre chef. Avant de t'en parler. Elle se demandait comment se justifier, elle était embarrassée.

— C'était écrit dans la lettre aussi », dit Sentarô.

Wakana secoua la tête.

« Ce n'est pas grave. Puisque Marvy avait certainement envie de voler.

— Au début, il restait dans le jardin, ou sur le toit en face. Il revenait ici pour manger.

— Ah bon ? »

Les joues encore humides, Wakana se redressa.

« Pourtant, il ne savait pas très bien voler. »

Mme Moriyama pencha la tête, étonnée.

« Non, ça allait. On continue à le voir sur les toits, ici et là.

— Il vole ? Marvy ?

— Tout le monde le nourrit, tu sais.

— Vraiment ? »

Pour la première fois depuis son arrivée chez Tokue, le visage de Wakana se détendit.

« Alors tant mieux, hein ? » dit Sentarô.

Wakana hocha vigoureusement la tête.

« Peut-être que je l'ai trop couvé. »

Mme Moriyama laissa échapper un petit rire.

« Je ne devrais pas parler ainsi d'un défunt, et encore moins de quelqu'un à qui vous étiez attachés. Mais je m'y sens autorisée parce que j'étais sa meilleure amie, je vais donc me permettre d'être crue.

— Pardon ?

— Tokue, elle exagérait toujours.

— Comment ça ?

— Elle exagérait ?

— Quand elle m'a remis cette lettre… »

Mme Moriyama tourna le regard vers la lettre posée à côté du corsage.

« Je n'avais pas l'intention de la lire, mais il n'y avait pas d'enveloppe et quelques mots me sont tombés sous les yeux. Sur le monde tel qu'il est… Elle parlait de cela, n'est-ce pas ?

— Oui.

— Je me suis dit, ça y est, elle recommence. Elle ne parlait pas sans cesse d'être à l'écoute, aussi ? »

Sentarô acquiesça.

« Je vous en prie, ne le prenez pas mal. Mais Tokue, quand quelqu'un lui plaisait, elle disait toujours ces choses-là. Écoute la voix des haricots *azuki*. Ou alors, la lune m'a parlé.

— Mais, moi…, lança Sentarô, lui coupant la parole. Cette lettre, elle m'a fait du bien. Je pense même la faire lire à Wakana. Et puis, même en admettant que ce soit exagéré, personnellement, ça m'a drôlement aidé. »

Wakana s'essuya de nouveau les yeux. Mme Moriyama, toujours souriante, regardait Sentarô et Wakana ; elle se leva, proposant : « Marchons un peu. J'aimerais que vous disiez un mot à Tokue. »

À Mme Yoshii ? Les yeux humides de Wakana s'arrondirent de surprise.

29

Le ciel était couleur de couchant. Le bleu pur virait peu à peu au rouge garance. Toutes les choses visibles, sans exception, étaient soulignées par ce flamboiement progressif. Le columbarium aussi, sa façade éclairée par le soleil couchant, luisait telle une source de lumière.

« Quand j'ai intégré le cercle de pâtisserie à l'invitation de Tokue, je venais de rater une tentative de suicide. »

La lumière dans le dos, Mme Moriyama marchait ; elle montra sa main gauche.

« Je m'étais ouvert les veines. Mais je m'y étais mal prise, j'ai survécu. Depuis que la maladie s'était déclarée, j'endurais des souffrances terribles. Mes doigts s'étaient tordus, un trou s'était formé dans ma main, mon visage gonflé ne revenait pas à la normale. J'étais une femme, mais avec sur la tête et le visage des nodules qui suintaient le pus. Je n'en pouvais plus, je me suis ouvert les veines. »

Tout en se dirigeant vers le columbarium, elle continua à parler, à demi tournée vers eux :

« C'est une douleur à vous rendre fou. Et qui dure. Alors, certains choisissent de mourir. Moi aussi, à ce moment-là, j'étais à bout. Mais, allez savoir pourquoi, j'ai survécu. Et c'est là que Tokue m'a invitée à faire de la pâtisserie avec elle. À vivre ensemble. Voilà ce qu'elle m'a dit, à moi qui me tourmentais, incapable de vivre comme de mourir dans cette prison. Et puis, peut-être qu'elle m'avait à la bonne. Elle a commencé avec sa manie, sois à l'écoute, tends l'oreille. Avec ses histoires d'imaginer le vent et le ciel dans les lieux traversés par les haricots *azuki*.

— Avec moi aussi… Mais vu la pâte de haricots qu'elle confectionnait, je suis certain qu'elle disait vrai. »

Certes… Mme Moriyama poursuivit :

« Moi aussi, j'ai tendu l'oreille comme le disait Tokue, j'ai approché mon visage des haricots *azuki*, je me suis vraiment efforcée d'être à l'écoute. Mais je n'entendais rien. La voix des haricots, tu parles ! Et vous, patron ? Vous l'entendez, la voix des haricots ? »

Sentarô marchait en silence, mais il secoua la tête : « Non. Je crois qu'il s'agit simplement d'aborder les haricots dans cet esprit.

— Exactement. C'est ça, mais elle le répétait tellement que j'ai fini par en avoir assez. Les autres aussi commençaient à la traiter de menteuse. À un moment, elle s'est trouvée isolée au sein du cercle de pâtisserie.

— Ah bon ? »

Sentarô ne savait absolument rien de tout cela.

« À ce moment-là, nous en avons parlé. Toute une soirée. Je lui ai demandé dans quel esprit elle disait ces choses. Je lui ai dit que ça embrouillait tout le monde.

— Et alors ?

— Je ne voudrais pas vous décevoir, mais… Tokue l'a reconnu ce jour-là. Qu'on ne risquait pas d'entendre la voix des haricots *azuki*. Mais, d'après elle, si on vivait dans l'espoir de l'entendre, peut-être cela se produirait-il un jour. Devenir ainsi des sortes de poètes était sûrement pour nous la seule façon de vivre, m'a-t-elle dit. Regarder uniquement la réalité donnait envie de mourir. Pour franchir la haie, la seule solution était de vivre comme si on l'avait fait.

— Elle était vraiment comme ça, Mme Yoshii. Elle évoluait par-delà les barrières, quelque part.

— Les barrières ? » interrogea Wakana.

Dans l'esprit de Sentarô, la jeune fille qui lui avait montré les pétales en saumure sous les cerisiers en fleur réapparut.

Il faillit en parler, mais se ravisa.

Ce n'était pas le bon moment, pensa-t-il.

Ils étaient arrivés devant le columbarium. Les mains jointes, Mme Moriyama se recueillit devant la tour baignée par les rayons du soleil couchant. Sentarô et Wakana l'imitèrent. Mais Mme Moriyama ne tarda pas à s'engager sur le sentier qui menait vers la forêt.

Tiens ? Sentarô releva la tête. Wakana aussi, perplexe, regardait Mme Moriyama.

« Madame Moriyama, c'est par là ?

— Oui. Par ici.

— Mais, Mme Yoshii repose dans le columbarium… »

Comme elle leur faisait signe de venir, ils lui emboîtèrent le pas. À cause des arbres qui se dressaient des deux côtés, il faisait beaucoup plus sombre sur le sentier que sur le chemin devant le columbarium. Le ciel luisait encore de lueurs garance, mais, sur le sentier, la nuit était déjà tombée.

Tout en avançant lentement, Mme Moriyama se remit à parler :

« J'aimais bien les histoires de Tokue. Elle disait qu'on était libres de penser. Il a suffi qu'elle m'apprenne cela pour que, même sur ce sentier, je me sente comme sur la voie d'un autre monde. Mais Tokue n'était pas du tout une menteuse, vous savez.

— J'en suis convaincu.

— Exactement. Elle ne mentait pas. »

Mme Moriyama s'arrêta et se tourna vers eux. Des chênes du Japon et des pins poussaient à cet endroit, entremêlés d'arbrisseaux, obscurcissant encore les alentours. Le ciel visible à travers les frondaisons était tout rouge.

« C'était environ une semaine avant son décès, je crois. Un soir, nous buvions ensemble un chocolat chaud chez moi, quand Tokue m'a parlé d'une drôle d'expérience qu'elle avait vécue. »

Wakana s'approcha de Sentarô.

« Ne t'en fais pas, ça n'a rien d'effrayant. Elle m'a raconté que… elle se promenait sur ce sentier, à peu près à la même heure qu'aujourd'hui, quand elle a entendu la voix pour la première fois.

— Quelle voix ?

— Celle des arbres. »

Ne sachant comment réagir, Sentarô se contenta de répondre : « Ah bon. » Wakana, tout près de lui, ne faisait pas mine de s'éloigner.

« Alors qu'elle n'arrêtait pas de répéter aux autres d'écouter la voix des haricots, elle l'a entendue pour la première fois. Une voix autre que celle d'un être humain.

— Que lui a-t-elle dit ? »

La voix de Wakana était rauque.

« Eh bien, Tokue me l'a rapporté en riant, mais… la voix lui a dit : tu as été très courageuse.

— La voix des arbres ?

— Oui. À chaque pas qu'elle faisait, tous les arbres parlaient : tu as été très courageuse, tu as tenu bon jusqu'au bout. C'était la première fois, m'a-t-elle dit. Jamais je n'oublierai son visage quand elle m'en a parlé. Je l'ai connue quand elle était jeune, je suis même allée à sa petite fête de mariage. Mais c'était la première fois que je la voyais aussi heureuse. Je tenais à vous en parler, à vous qui avez créé un lien avec Tokue. Parce que sa vie ne devrait pas inspirer la pitié. Elle ne s'est pas terminée dans le malheur. Je crois que les arbres lui ont vraiment parlé. Tu as tenu bon, Tokue Yoshii. Tu as été courageuse. Je pense qu'ils le lui ont dit. Parce que… »

Dépliant ses doigts crochus, Mme Moriyama désigna la forêt alentour.

« Ici, quand l'un d'entre nous meurt, on plante un nouvel arbre. »

Wakana se colla au dos de Sentarô.

Celui-ci balaya du regard les arbres autour de lui.

Chacun d'entre eux était le témoignage de l'existence de tous ceux qui avaient passé leur vie ici.

« Il commence à faire sombre, mais… voici l'arbre de Tokue. »

Tout près d'eux se trouvait un monticule de terre, avec un arbuste.

« On a choisi tous ensemble un cerisier Yoshino. Parce que Tokue, elle aimait les cerisiers. Elle a grandi près d'un endroit appelé Shinjô, dans le département d'Ehime, paraît-il. Là-bas, les cerisiers étaient magnifiques, d'après elle. Elle disait souvent qu'elle aurait aimé les revoir. Ah, et le hêtre japonais derrière, c'est celui qu'on a planté quand son mari est décédé. »

Sentarô, et Wakana dans son dos, regardaient les arbres en silence. À chaque souffle de vent, feuilles et branches entraient en contact et la forêt bruissait.

La voix de Tokue leur intimant de tendre l'oreille semblait sur le point de s'élever, là, tout près.

Sentarô fit un pas dans la direction du jeune plant. Il passa délicatement la main sur cette nouvelle vie.

« Madame Yoshii ! »

Il caressa les branches du bout des doigts.

Et alors, derrière lui, Mme Moriyama poussa un cri de surprise : « Ça alors ! » Sentarô regarda dans la même direction qu'elle.

De l'autre côté de la forêt se dessinait la silhouette de la haie de houx. Et, exactement comme si elle en avait surgi, une lune toute ronde, d'une couleur pure, flottait au-dessus.

Wakana aussi laissa échapper un petit cri.

Quand le vent secouait les arbres, la pleine lune disparaissait derrière les branches ou était tronquée.

Mais sa lueur leur parvenait malgré tout à intervalles réguliers.

Sentarô se tourna vers l'arbuste et murmura : « La lune s'est levée. »

Du même auteur
aux Éditions Albin Michel :

LE RÊVE DE RYÔSUKE

Le Livre de Poche s'engage pour l'environnement en réduisant l'empreinte carbone de ses livres. Celle de cet exemplaire est de :
300 g éq. CO_2
Rendez-vous sur www.livredepoche-durable.fr

Composition réalisée par NORD COMPO

Achevé d'imprimer en juillet 2017, en France sur Presse Offset par
Maury Imprimeur – 45330 Malesherbes
N° d'imprimeur : 219395
Dépôt légal 1re publication : avril 2017
Édition 06 – juillet 2017
LIBRAIRIE GÉNÉRALE FRANÇAISE – 21, rue du Montparnasse – 75298 Paris Cedex 06

36/3375/3